El misterio de la pirámide

1.ª edición: marzo 2016
2.ª edición: febrero 2017

Dirección de la colección: Olga Escobar

© Del texto: Ana Alonso, 2016
© De las ilustraciones: Jordi Vila Delclòs, 2016
© De las fotografías de cubierta:
Thinkstock/Getty Images y 123 RF
© De las fotografías de las fichas: Archivo Anaya (Candel, C.)
© Grupo Anaya, S. A., 2016
Juan Ignacio Luca de Tena, 15. 28027 Madrid
www.anayainfantilyjuvenil.com
www.pizcadesal.es
e-mail: anayainfantilyjuvenil@anaya.es

Diseño de cubierta:
Miguel Ángel Pacheco, Javier Serrano
y Patricia Gómez Serrano

ISBN: 978-84-698-0902-0
Depósito legal: M. 561/2016
Impreso en España - Printed in Spain

Las normas ortográficas seguidas son las establecidas por la Real Academia
Española en la nueva *Ortografía de la lengua española,* publicada en 2010.

Ana Alonso

El misterio
de la pirámide

Ilustraciones
de Jordi Vila Delclòs

Capítulo 1

Mientras la vieja furgoneta en la que viajaban intentaba abrirse paso entre coches, carros, mulas y gente, Víctor no dejaba de mirar por la ventanilla. ¡Estaban en Egipto! Todavía no podía creerlo, y eso que el día anterior había ido con sus padres a visitar el museo Arqueológico de El Cairo y las pirámides de Guiza.

Del museo, lo que más le había impactado era el famoso sarcófago del faraón Tutankamón, con su máscara funeraria de oro y turquesas. Y en cuanto a las pirámides... ¡No existían palabras para describir aquella impresión! Eran tan grandes como montañas. Montañas hechas por el hombre. Pero ¿para qué? ¿Por qué?

Sus padres, que eran egiptólogos, le habían explicado muchas veces que aquellas enormes construcciones eran monumentos funerarios. Sin embargo, esa explicación a Víctor no le parecía suficiente. ¿Cómo podía una sociedad dedicar miles de personas y de horas de trabajo a hacer una pirámide para enterrar a su gobernante? ¿Qué utilidad tenía aquello? Debía de ser algo muy importante en sus vidas cuando habían invertido tanto tiempo y recursos... ¿Por qué era tan importante?

Se había distraído haciéndose aquellas preguntas cuando un brazo moreno y cargado de collares se coló por la ventanilla bajada de su asiento. Al otro lado del brazo, su mirada encontró el rostro vivaracho de una niña más o menos de su edad.

—¿Español? ¿Collar para tu amiga? ¿Para tu hermana? —preguntó la niña.

—No, gracias —dijo Víctor—. No tengo hermanas.

El conductor de la furgoneta, un hombre arrugado con cabello y bigote grises, se volvió hacia la niña y le preguntó algo en árabe. Ella le dio una explicación breve y se quedó mirando al chófer con una amplia sonrisa.

—Ella nos llevará —explicó el conductor volviéndose hacia atrás para mirar a los padres de Víctor, que iban sentados junto a él—. Vive en el hotel Los Flamencos. Ella hija del dueño.

Carmen y Miguel, los padres de Víctor, se miraron sorprendidos.

—¿La hija del dueño de un hotel anda vendiendo collares por la calle? —preguntó Carmen—. Debe de ser un hotel muy pequeño.

La niña, que mientras tanto se había montado en el asiento delantero, se volvió para contestar.

—Los Flamencos el mejor hotel de Egipto —dijo muy seria—. Cuartos limpios. Piscina limpia. Vistas al Nilo.

Ni Carmen ni Miguel parecían demasiado convencidos.

—Teníamos que habernos quedado en el hotel de El Cairo —murmuró Miguel—. Por lo menos estas primeras semanas, mientras estemos con el niño.

—¿Y malgastar la subvención en una habitación de lujo? —replicó Carmen arqueando sus cejas rubias—. No, cariño, no hemos venido aquí para eso. Además, la niña tiene razón: seguro que el hotel Los Flamencos está muy bien y es muy limpio. Y además nos queda muy cerca de la excavación.

—¿Son los que han encontrado la nueva pirámide? ¿Arqueólogos? —preguntó la niña volviéndose de nuevo a mirarlos.

—Pues sí, formamos parte del equipo que la ha encontrado —contestó Miguel con orgullo.

—Hablas muy bien nuestro idioma —observó Carmen, divertida por el interés de la pequeña—. ¿Cómo te llamas?

—Yasmine. En el hotel muchos huéspedes españoles. Por eso yo hablo. Idiomas buenos para el negocio.

El conductor interrumpió la conversación para preguntar algo en árabe. La niña contestó con una larga serie de explicaciones en el mismo idioma. Debía de estar indicándole al hombre por dónde ir para llegar al hotel.

La furgoneta giró a la derecha en el siguiente cruce y se internó en una calle abarrotada de peatones.

Había ropa tendida en las casas blancas, a ambos lados de la calzada. El aire que entraba por las ventanillas abiertas resultaba asfixiante. Olía a hierbas aromáticas y a excrementos de animales; una mezcla capaz de quitarle el apetito a cualquiera.

El conductor iba tocando el claxon continuamente para que la gente se apartase a su paso. ¡Qué diferente y exótico parecía todo! Víctor no acababa de asimilar que estuviese realmente allí, en la aldea de Saqqara, a pocos kilómetros del lugar donde sus padres iban a trabajar durante los meses siguientes. El lugar donde, a finales del invierno, ellos y otros arqueólogos habían encontrado los restos de una pirámide enterrada en la arena. El hallazgo había aparecido en todos los periódicos del planeta... Era lo más emocionante que había ocurrido en el mundo de la egiptología durante décadas.

Siguiendo las indicaciones de Yasmine, salieron del centro de la aldea y tomaron una carretera polvorienta entre palmeras. Ahora ya no se veían tantos edificios: solo casas aisladas rodeadas de pequeños huertos. En algunos de ellos, Víctor distinguió unas ruedas de metal oxidado medio incrustadas en la tierra.

—¿Qué es eso? —preguntó.

—Norias, para sacar el agua del suelo —contestó su madre—. Cada uno de esos cajoncitos metálicos que lleva la rueda se llama cangilón. En España se usaban también antiguamente, pero ahora han sido sustituidas por otros sistemas de riego más modernos.

Unos minutos después, Yasmine señaló un edificio blanco entre los árboles de un jardín, a la derecha de la carretera.

—¡Aquí! ¡Los Flamencos!

Mientras bajaban el equipaje de la furgoneta, una pareja salió a la puerta para darles la bienvenida. La mujer llevaba el cabello cubierto por un pañuelo azul, y su cara risueña se parecía bastante a la de Yasmine.

—¿Mi hija ya les ha dado la bienvenida? Encantada de conocerlos —saludó en un perfecto español—. Espero que se encuentren cómodos entre nosotros. Van a estar aquí durante mucho tiempo, creo...

—En principio todo el verano —contestó Carmen—. Somos los arqueólogos que...

—Sí, sí. Estamos encantados de tenerlos aquí. ¡Todo un honor para nosotros! Una nueva pirámide... Es bueno para todos.

El hombre, mientras tanto, estrechó la mano de Miguel y le indicó por señas que dejase en el suelo las dos maletas que arrastraba.

—Lo siento, mi hermano no habla español —se disculpó la mujer—. El chico se encargará más tarde del equipaje. Ahora, si quieren entrar y refrescarse... Tenemos limonada fría. Ah, y el sobre... Un mensaje para ustedes.

—¿Un mensaje?

Carmen siguió a la mujer hasta el interior del hotel, y Víctor, a su vez, siguió a su madre.

La madre de Yasmine pasó por detrás del mostrador de madera de recepción y buscó en el casillero que contenía las llaves de las habitaciones.

—Aquí —dijo—. Mensaje urgente. Lo trajeron en moto desde El Cairo esta mañana.

Carmen rasgó el sobre con dedos nerviosos y extrajo de dentro un papel muy fino cubierto de letra mecanografiada. Lo leyó en silencio rápidamente, mientras Miguel entraba en el edificio.

Cuando Carmen terminó de leer, miró a su marido con los ojos vidriosos de lágrimas.

—¿Qué ha pasado? —preguntó él, alarmado—. Carmen, no me asustes...

—Los permisos. Los permisos de la excavación. Nos los han denegado... Dicen que faltan documentos, que necesitan otro informe del ministerio de turismo local... Es un desastre, Miguel. Tenemos dos meses para sacar esto adelante y ahora resulta que ni siquiera sabemos cuándo vamos a poder empezar.

CAPÍTULO 2

Desde la tumbona descolorida junto a la piscina, Víctor podía oír la voz de su padre conversando en inglés con la mujer que acababa de llegar al hotel. Era Margaret Andrews, la directora del proyecto de excavación Nitocris. Aunque Víctor no hablaba inglés tan bien como sus padres, sabía lo suficiente para entender, a grandes rasgos, la conversación. Las noticias que traía Margaret no eran agradables.

—Parece que tus padres tienen problemas —dijo una voz de chica a sus espaldas.

Víctor se giró, sobresaltado. No había oído llegar a Yasmine.

—Sí. Los permisos para empezar los trabajos de excavación en el yacimiento no llegarán al menos en quince días. Margaret está intentado explicarle a mi padre el porqué del retraso, pero la verdad es que no lo he entendido muy bien.

—Yo sí. No están seguros. Dicen que se pidió el permiso para excavar la pirámide de Nitocris. Pero según

el último estudio de una inscripción que han encontrado, la pirámide no era de Nitocris, sino de Ahmes.

Víctor miró a Yasmine asombrado.

—¿Por qué ahora hablas un español casi perfecto? Antes no lo hablabas tan bien.

Yasmine le dedicó una maliciosa sonrisa.

—Te has dado cuenta, ¿eh? Con los turistas exagero el acento y hablo mal a propósito porque así suena más exótico y les hace más gracia. En realidad, mis padres y yo vivimos tres años en Málaga. Mi padre estaba ampliando sus estudios en una escuela de hostelería. Yo fui al colegio allí y todo.

—¿Y tu padre no está aquí ahora? —preguntó Víctor.

—No. Dirige un hotel de lujo en Sharm al Shaij, en la costa del Mar Rojo. Solo le vemos en las vacaciones. Mi madre no quiere dejar el hotel Los Flamencos, que fue siempre el negocio de su familia. Dice que sin ella se hundiría, que su hermano no sería capaz de llevarlo solo.

Víctor la observó detenidamente. Aquella chica era toda una caja de sorpresas.

—¿Por qué estabas vendiendo collares antes en la calle? Es un trabajo duro, y no creo que se gane mucho dinero.

—A mí me gusta. Así puedo estar con mis amigos del pueblo. Aquí todos los niños se ponen a vender en la temporada turística. Es divertido, y además sacas algún dinero.

Yasmine se dejó caer en la tumbona que había junto a la de Víctor. El agua de la piscina tenía un color verdoso, probablemente por el reflejo de las palmeras que la rodeaban.

—Eso de que la pirámide no es de Nitocris... ¿De dónde lo han sacado? —preguntó Víctor, mirando de reojo a la puerta que comunicaba el jardín con la recepción, donde su padre seguía hablando con Margaret—. Han encontrado su nombre en varias inscripciones.

—¿Y quién era Nitocris? —quiso saber Yasmine.

A Víctor se le iluminó la cara. Le encantaba que le dieran la oportunidad de contar las cosas que sabía. Y sobre Nitocris sabía bastante: sus padres llevaban medio año hablando de ella sin parar.

—Nitocris fue la primera mujer reinante de Egipto. O sea, la primera faraona —explicó—. Es de la época de la VI dinastía, más de dos mil años antes de Cristo. Muchos egiptólogos creían que era un personaje legendario, que no había existido en realidad. Decían que alguien había transcrito mal el nombre del último faraón de la VI dinastía transformándolo en un nombre de mujer.

—O sea, que en realidad era un hombre —dedujo Yasmine.

—Eso se pensaba. Pero en las ruinas que hay alrededor de la pirámide se encontró un busto de terracota que representa a una mujer y lleva una inscripción jeroglífica que se podría leer como «Nitocris». Y el mismo nombre apareció grabado en una piedra dentro del recinto de la pirámide. Es curioso, porque los que defendían que Nitocris sí había existido y había sido la primera gran faraona de Egipto creían que su pirámide era la que se conoce como pirámide de Menkaura o Micerinos, la más pequeña de las tres pirámides de Guiza. Y ahora resulta que no, que su pirámide se construyó aquí, en Saqqara.

—En realidad es más creíble que su pirámide esté aquí, porque en Saqqara ya han aparecido otras pirámides de la VI dinastía —observó Yasmine—. Todas en muy mal estado, eso sí. Se conservan las bases y poco más, pero bueno.

Víctor la observó perplejo.

—Entonces, ¿tú también sabes cosas de las antiguas dinastías egipcias? —preguntó.

La chica se encogió de hombros.

—Es nuestra historia, ¿recuerdas? La estudiamos en el colegio. Además, aquí vivimos prácticamente al lado de las ruinas. La hermana pequeña de mi madre, por ejemplo, es guía turística. Explica las ruinas a la gente en varios idiomas. El pueblo entero vive de las excavaciones y del turismo que atraen. ¡Es normal que intentemos saber lo más posible sobre esas pirámides y todo lo que hay a su alrededor! Por ejemplo, ¿sabías que justo en el lado oeste del recinto que han acordonado para vuestra excavación había una necrópolis de gatos?

—¿Una necrópolis de gatos? —repitió Víctor sin entender.

—Sí, como un gran cementerio de gatos momificados. Se encontraron más de diez mil. Momias de gatos. ¿Qué te parece?

—Un poco... escalofriante —admitió el chico, estremeciéndose.

—Nosotros aquí estamos acostumbrados a esas cosas. Las momias, el culto a los muertos de los antiguos egipcios, nuestros antepasados... No lo vemos tan raro. Aunque últimamente sí que han pasado algunas cosas que... me pregunto si no estarán detrás del retraso de los permisos. Hay funcionarios muy supersticiosos con esto de las excavaciones en las tumbas. Piensan que pueden despertar a los muertos, o algo así.

—Es imposible que se crean eso. ¡Solo son supersticiones!

Yasmine meneó la cabeza, pensativa.

—Puede ser. Pero esta es una tierra antigua y mágica. Y están pasando cosas... Yo misma las he visto. Unas sombras, en el lado oeste de la excavación. Mi primo Yusuf me llevó a verlas hará unas dos semanas. Aparecen cuando sale la luna... Inquietantes.

—¿Sombras en la excavación? Serán saqueadores en busca de algún tesoro escondido, de esos que vienen con un detector de metales y que arruinan el trabajo de los arqueólogos —opinó Víctor—. Aparecen en todas las excavaciones, mis padres me lo han contado. Y cuanto más tarden los permisos, más tiempo tendrán para estropear el yacimiento. ¡Deberían poner vigilancia!

—No me estás entendiendo, Víctor —dijo Yasmine muy seria—. Esas sombras... no eran humanas. Es decir, lo eran de cabeza para abajo, pero sus cabezas... eran de animales.

—Cuerpo humano y cabeza de animal. Como los antiguos dioses egipcios —recordó Víctor—. A lo mejor llevan máscaras de animales para asustar a la gente y hacer como que son dioses. Me refiero a los saqueadores.

—¡Y dale con los saqueadores! No, no eran humanos corrientes. Eran... ¡tan altos! Y se movían de un modo extraño, como si flotaran. Una mujer con cabeza de gata y un hombre con cabeza de Ibis.

—El ibis es un pájaro, ¿no? —preguntó Víctor.

—Un ave, sí. Y el dios con cabeza de Ibis en la mitología egipcia era Tot. El dios de la escritura.

—¿Tenían un dios de la escritura? Qué gracioso.

—¿Por qué? No olvides que para ellos la escritura era un invento nuevo y maravilloso, casi mágico. Algo que les daba el poder de recordar, de registrarlo todo. Es lógico que le dedicasen un dios.

—¿Y la otra figura? ¿La que tenía cabeza de gata?

—La diosa Bastet —contestó Yasmine—. Protectora del hogar. A veces se la representa con cabeza de gata y otras veces con cabeza de leona.

—Son historias muy bonitas, Yasmine —dijo Víctor sonriendo—. Pero no me las creo.

La niña se levantó de la tumbona y lo miró fijamente con sus enormes ojos negros.

—Eso es porque acabas de llegar —contestó con calma—. Cuando conozcas mejor todo esto, tal vez cambies de opinión.

Capítulo 3

Era la tercera noche que pasaba Víctor en el hotel Los Flamencos, y seguía sin acostumbrarse al calor. La habitación no disponía de aire acondicionado. En lugar de eso, tenía un gran ventilador de madera oscura que removía el aire ardiente y húmedo sin llegar a refrescar. Después de dar la vuelta por tercera vez a la almohada empapada en sudor, Víctor decidió levantarse. Estaba demasiado nervioso para dormir. Sus padres habían conseguido transmitirle la inquietud que sentían por el asunto de los permisos de la excavación. A pesar de sus gestiones en El Cairo y de haber llamado a la fundación que financiaba su trabajo para intentar desbloquear el problema, en las últimas horas no se había producido ningún avance. Estaban atrapados en un hotel barato en Saqqara, en medio de un calor insoportable... consumiendo los recursos del proyecto y sin poder trabajar en él.

Descalzo, Víctor se dirigió a la ventana, que se encontraba abierta. A través de la fina trama de la mosquitera, distinguió la silueta de unas cuantas palmeras recortadas contra el cielo estrellado. Se oía un zumbido de cigarras, o tal vez de algún otro insecto desconocido. Allí, junto a la ventana, se estaba algo más fresco. Al menos se podía respirar.

Un cono de luz invadió de pronto la penumbra de su cuarto. Alguien había abierto la puerta del pasillo. Cuando se dio la vuelta, Víctor se encontró con la silueta delgada de Yasmine.

—¿Te he despertado? —preguntó ella en voz baja—. Es que es importante...

—No te preocupes, estaba despierto —replicó el chico en el mismo tono—. Pero ¿qué haces aquí? Deben de ser las dos de la mañana.

—La una y media. No sabes lo que me ha pasado, Víctor. Al principio creí que era un sueño, pero no... Era real, estoy segura.

—No te entiendo... ¿de qué hablas?

—Lo vi en mi ventana. Antes oí golpes en los cristales, me despertaron. Usó el ruido para atraer mi atención. Me levanté y estaba allí... la figura enorme con cabeza de Ibis. El dios Tot. O, mejor dicho, su sombra.

—¿Y qué hiciste?

—Salí al jardín, a ver si seguía allí. Y sí, allí estaba; no se había movido. Aunque no era más que una sombra y no se le distinguía el rostro, tuve la sensación de que me miraba fijamente. Después, me hizo una seña con la mano, se giró y comenzó a andar, o mejor dicho a deslizarse. Quería que lo siguiera.

—¿Y lo seguiste? —preguntó Víctor en un susurro.

Aunque la historia de Yasmine sonaba disparatada, el rostro desencajado de la muchacha probaba que ella se la tomaba en serio.

—Lo seguí, sí. Atravesó la zona de la piscina y avanzó por uno de los senderos de gravilla que llevan hasta la carretera. Pero luego, se salió del sendero y se internó en la oscuridad de las dunas que hay detrás del huerto. El yacimiento de tus padres está en esa dirección. Yo no me decidía a meterme en las dunas, cuesta mucho avanzar por ellas, se te hunden los pies... Y Tot se detuvo a unos metros de mí, como si estuviera esperándome.

Víctor sintió un escalofrío, a pesar del calor que hacía en la habitación.

—¿Y entonces? —se atrevió a preguntar.

—Nada... Me entró miedo, me di la vuelta y eché a correr hacia el hotel. Me volví una vez para ver qué hacía él. No se había movido. Seguía esperando. Seguro que todavía sigue allí.

—Yasmine, a lo mejor deberíamos despertar a tu madre. Habría que avisar a la Policía. Lo más seguro es que se trate de un ladrón que se pone esa máscara de pájaro para dar miedo y que las gentes supersticiosas lo confundan con un dios.

—Yo no soy supersticiosa, Víctor. Pero te aseguro que ese rostro no era una máscara. Era un ibis de verdad.

—¿Cómo lo sabes? Dijiste que solo se veía su sombra.

—Sí, pero había algo en esa sombra. No era humana. Demasiado grande, y su modo de moverse... Víctor, quiero que vengas conmigo y la veas con tus propios ojos, si es que todavía está allí.

Víctor respiró hondo. La perspectiva de perseguir a una misteriosa sombra en mitad de la noche no le hacía demasiada gracia. Pero, por otro lado, no quería que Yasmine le tomase por un cobarde... y además, sentía bastante curiosidad por saber qué era lo que realmente había visto su nueva amiga.

Yasmine esperó pacientemente a que se pusiese unos calcetines y unas zapatillas deportivas. El pantalón del pijama parecía un chándal, así que no se molestó en cambiárselo. Cuando estuvo listo, Yasmine lo guio a través del jardín que rodeaba la piscina. La luna se reflejaba en sus aguas oscuras, un disco tembloroso de plata entre las siluetas de las palmeras. Recorrieron un sendero polvoriento bordeado de zarzas. Un penetrante aroma a flores desconocidas lo invadía todo.

Llevaban unos cinco minutos andando cuando Víctor lo vio. Estaba allí, a un lado del sendero, inmóvil en medio de las dunas, que formaban un sombrío mar de arena a su alrededor.

Yasmine tenía razón: aquello no era un hombre disfrazado. Era... otra cosa. Algo más grande, más misterioso y mucho, mucho más aterrador. ¿Un dios?

Tot, el dios de la escritura... No podía creerlo.

Le pareció que la figura alzaba lentamente una mano y les hacía un gesto para que la siguiesen. Acto seguido, comenzó a caminar... O, más bien, a flotar sobre la arena, con tanta suavidad como si no tuviese pies que rozasen el suelo.

Yasmine y Víctor se miraron.

—¿Vamos? —susurró Yasmine.

Víctor asintió. Instintivamente, se cogieron de la mano, como si de ese modo pudiesen protegerse el uno al otro. Así, juntos, dejaron el sendero y se internaron en las dunas.

Muy pronto las piernas comenzaron a hundírseles en la arena casi hasta las rodillas. Sacarlas les costaba cada vez un enorme esfuerzo. Era como caminar con un peso insoportable atado a cada pie; se fatigaba uno enseguida. La sombra, en cambio, avanzaba como si no le costase trabajo alguno. Eso sí: de cuando en cuando se detenía para esperarlos. ¿Por qué?

De pronto, a Víctor le entró miedo. ¿Y si aquello no era más que una estratagema de bandidos o terroristas para apartarlos del hotel y secuestrarlos? Estaban arriesgándose demasiado al seguir a aquella cosa. Deberían haber avisado a sus padres; eso era lo que deberían haber hecho. Ellos habrían sabido qué hacer... Pero ahora ya era demasiado tarde.

Se estaban acercando a la tapia de barro que Margaret Andrews, la directora de la excavación, había ordenado levantar alrededor del yacimiento arqueológico. No era muy alta, la verdad, ni tampoco parecía demasiado consistente. La sombra con cabeza de ibis avanzaba directamente hacia ella, como si quisiese estrellarse contra su superficie.

Sin embargo, unos metros antes de llegar se desvió hacia la izquierda. Avanzó otros diez o doce metros en diagonal y se inclinó sobre lo que parecía un arbusto seco clavado en la arena. Estaba tirando de algo...

Un chirrido de piedra arrastrada sobre la arena quebró el silencio de la noche. Y un momento después, la sombra se hundió en la tierra... hasta desaparecer.

Víctor y Yasmine corrieron por la extensión de tierra endurecida que los separaba del lugar donde habían visto por última vez a la misteriosa figura. Al llegar, descubrieron un agujero rectangular en el suelo. Había una pesada losa de piedra con una argolla de hierro oxidado a la izquierda; la piedra que la sombra había movido.

Yasmine se arrodilló junto al agujero y miró en su interior.

—Es un pasadizo subterráneo —dijo—. ¿Qué hacemos, entramos?

—¿Así, en la oscuridad, sin linternas ni nada? Es demasiado peligroso, Yasmine. Volveremos mañana, de día... y veremos si es o no es un pasadizo de verdad.

CAPÍTULO 4

—No puede ser. ¡Tiene que estar por aquí! —repitió Víctor por tercera vez sin despegar los ojos de la tierra—. Era una losa bastante grande, con una argolla de hierro... No puede haberse vuelto invisible de repente.

—A lo mejor nos hemos desorientado y no era exactamente por aquí —razonó Yasmine—. Era de noche, y nosotros solo estábamos pendientes de la sombra. No nos fijamos en el punto del camino donde lo abandonó... Pudo haber sido un poco más atrás, o un poco más adelante.

—¡Pero es que ya lo hemos recorrido todo! La entrada del pasadizo no puede estar muy lejos de aquí, piénsalo. El paisaje era muy parecido a este.

Yasmine se encogió de hombros.

—Estábamos conmocionados por lo que habíamos visto —dijo—. Eso nos desorientó. No podemos seguir buscando, Víctor, llevamos toda la mañana... y le prometí a mi madre volver al hotel a tiempo para ayudar a transportar al comedor las bandejas del bufé.

De mala gana, Víctor acompañó a su amiga por el sendero que conducía de regreso al hotel. El sudor le adhería la camiseta al cuerpo, lo que le hacía sentirse sucio, como si no se hubiese duchado esa mañana. ¿Cómo podía Yasmine andar tan fresca con aquel calor asfixiante? Debía de estar muy acostumbrada, porque caminaba a paso ligero mientras tarareaba distraídamente una canción, y no parecía nada fatigada.

Cuando llegaron al hotel, Víctor se encontró con que sus padres le estaban esperando para comer. En el pequeño comedor, la madre de Yasmine había colocado ya la comida para el bufé de mediodía: al igual que los días anteriores, había ensaladas de distintos tipos, verduras guisadas, alitas de pollo, empanadas de cordero y una especie de puré frío de garbanzos al que llamaban *hummus*, y que estaba bastante rico.

Ese día, sin embargo, Víctor no tenía apetito. Por más que lo intentaba, no podía quitarse de la cabeza la imagen de aquella sombra con cabeza de pájaro extraño que los había guiado a través de las dunas; la sombra y el agujero en el suelo que ella les había mostrado. Casi se arrepentía de no haberla seguido al interior del pasadizo. ¿Y si, después de todo, aquello había sido una especie de prueba mágica y ellos no la habían pasado? Como en los cuentos de hadas que su abuela le leía de niño... ¿Y si la puerta en el suelo era solo eso, un espejismo, una visión provocada por la sombra del dios Tot? En ese caso, no volverían a verla... y se quedarían para siempre con las ganas de saber adónde conducía aquel pasadizo.

Por la tarde, sus padres tenían preparada una pequeña excursión a la pirámide escalonada de Zoser, la mejor conservada de todas las que se habían hallado en aquel lugar. Por lo visto, durante muchos siglos Saqqara había sido la necrópolis de la gran ciudad de Memfis, capital de Egipto durante el Imperio Antiguo. Necrópolis, según le había explicado a Víctor su padre, era un lugar de enterramiento de los muertos, como un cementerio. Algunos de los muertos enterrados en Saqqara debían de ser gentes ilustres, y por eso habían levantado para ellos aquellas sorprendentes construcciones.

La pirámide de Zoser no era tan grande ni tan espectacular como las de Guiza, pero, aun así, a Víctor le impresionó mucho.

—¿Por qué esta pirámide no es como las otras? ¿Por qué tiene como «terrazas»? —le preguntó a su madre, que estaba a su lado haciendo fotos con el móvil.

—Digamos que esta fue la primera pirámide en la historia de Egipto. Se erigió en honor a Zoser, un faraón de la III dinastía, y según la tradición el arquitecto que la creó fue Imhotep. Hasta entonces, a los faraones y otros nobles egipcios se les enterraba en mastabas, que eran unas estructuras en forma de pirámide truncada. Bueno, pues parece que a Imhotep se le ocurrió la idea de construir seis mastabas enormes, una encima de otra: y así surgió esta pirámide. Se ve que la idea de la pirámide les gustó, porque a partir de entonces no dejaron de experimentar con ella.

Víctor estuvo recorriendo con sus padres las ruinas que rodeaban la pirámide. Al parecer, esta se encontraba rodeada originalmente de una muralla de piedra caliza con catorce puertas falsas y una sola auténtica. Por aquella puerta se accedía a un patio de ceremonias, y desde allí a una sala con columnas.

Los padres de Víctor estaban entusiasmados con el lugar. Se quitaban la palabra el uno al otro para explicarle a su hijo el significado de cada cosa que veían. A Víctor le encantaba verlos tan animados, pero al cabo de un rato terminaba resultando agotador. Muchas de las palabras que utilizaban en sus explicaciones eran incomprensibles para alguien que no se dedicase a la arqueología; y además, al final siempre acababan enzarzándose en alguna discusión absurda acerca de un detalle de la excavación o de un objeto insignificante que al resto del mundo le habría pasado desapercibido.

Para regresar al hotel tuvieron que atravesar a pie las sofocantes calles del bazar. El olor de la canela y la cúrcuma se mezclaba con el aroma polvoriento de las alfombras que colgaban por todas partes. Cada vez que un grupo de niños se acercaba a ofrecerles collares y otras baratijas, Víctor y sus padres apretaban el paso. Los rostros ansiosos de aquellos pequeños hacían que Víctor se sintiese culpable sin saber muy bien de qué. Por un lado, le habría gustado comprarles todas aquellas

cosas que vendían para verlos contentos. Por otro, le molestaba un poco su insistencia, porque no sabía cómo hacerle frente sin parecer un maleducado.

Cuando por fin llegaron al hotel Los Flamencos, Víctor respiró aliviado. Estaba anocheciendo, y, aunque el sol ya se había puesto, había dejado la parte occidental del cielo teñida de un rosa intenso que poco a poco se iba volviendo púrpura. Iba a entrar en el vestíbulo detrás de sus padres cuando vio a Yasmine en la penumbra de las palmeras. Le estaba haciendo señas para que se acercase.

Víctor fue hacia ella, sorprendido.

—¿Qué pasa?

Yasmine se llevó un dedo a los labios, indicándole que guardase silencio. Luego, cogiéndolo de la mano, lo guio entre los árboles del jardín hasta la tapia que lo separaba de las dunas.

La tapia blanca era tan alta como un adulto de mediana estatura. Pero las dos figuras que sobresalían al otro lado no tenían nada de medianas. Eran mucho más altas que un ser humano normal... aunque, por su aspecto, tampoco parecían seres humanos.

Sus cuerpos eran los de un hombre y una mujer: pero sus rostros... el hombre tenía la misma cabeza de pájaro que habían visto la noche anterior, y, en cuanto a la mujer, su rostro parecía el de una gata, o quizá el de algún otro felino.

—¿Qué hacemos? —susurró Víctor al oído de Yasmine.

—Creo que debemos seguirlos —contestó la niña—. Está claro que quieren mostrarnos algo.

—Pero ¿no te dan miedo?

—Son los dioses de mis antepasados —contestó Yasmine sonriendo en las sombras del atardecer—. Si los protegieron a ellos, también querrán protegerme a mí.

Capítulo 5

Yasmine había hablado con mucha seguridad; sin embargo, cuando la mujer con cabeza de gata se volvió hacia ellos y los miró con sus ojos verdes y brillantes, no pudo evitar dar un paso hacia atrás.

Víctor, que no estaba menos asustado que ella, le cogió la mano para infundirle valor y, de paso, infundírselo a sí mismo. ¡Los dos iban a necesitarlo!

Las dos figuras comenzaron a avanzar majestuosamente por las dunas, que la luna teñía de un pálido resplandor plateado. Yasmine y Víctor los seguían, pero manteniéndose a distancia. Pronto se dieron cuenta de que, si pisaban sobre las huellas que iban dejando aquellas criaturas, sus pies no se hundían en la arena. De ese modo podían avanzar casi tan rápido como ellas.

Caminaron en silencio durante unos minutos, hasta llegar a las inmediaciones del recinto arqueológico, como la noche anterior. Allí, después de atravesar una zona de arbustos resecos y polvorientos, las dos figuras se adentraron en la zona de tierra endurecida que Yasmine y Víctor habían estado buscando sin éxito durante todo el día.

—¿Cómo es posible que no hayamos encontrado esto, con lo que lo hemos buscado? —susurró Yasmine al oído de Víctor.

—No lo sé. No tiene sentido —contestó el muchacho—. Hemos pasado muy cerca de aquí esta mañana, y yo no vi ni los arbustos ni esa tierra agrietada. Si no fuese absurdo, yo diría que esto es cosa de magia.

—Es que lo es —replicó Yasmine en voz baja—. Mira, la diosa Bastet se ha arrodillado y está levantando algo. Debe de ser la losa que vimos ayer.

—La diosa Bastet... Es verdad, me hablaste de ella el otro día. ¡A ver si me aprendo su nombre! —dijo Víctor.

—No creo que eso sirva de mucha ayuda si la cosa se pone fea y se termina enfadando con nosotros —contestó la chica estremeciéndose.

Víctor, que estaba mirando hacia las dos figuras con cabezas de animales, no pareció oír el comentario.

—No puede ser —murmuró—. ¿Adónde han ido? Hace un momento estaban ahí, y ahora...

—¡Han desaparecido! —exclamó Yasmine, terminando la frase por él.

Víctor tenía razón. Mientras ellos hablaban, las figuras se habían esfumado. Y sin embargo, en aquella amplia extensión de tierra reseca no había ni un solo rincón para esconderse. ¿Adónde habrían ido?

—Son dioses —observó Yasmine, reflexionando en voz alta—. Pueden hacer lo que quieran. Lo importante es que nos han guiado hasta esa losa. Y yo vengo preparada para averiguar lo que hay debajo.

Como para subrayar sus palabras, sacó una pequeña linterna del bolsillo de su pantalón y la encendió. Un débil círculo de luz se proyectó sobre la tierra.

Empezaron a caminar hacia el lugar donde habían visto las figuras de los dioses por última vez. La luz amarilla de la linterna danzaba delante de ellos, ajustándose al ritmo de sus pasos y deslizándose sobre los contornos de las rocas que sobresalían en el suelo.

Finalmente, la luz se detuvo sobre un cuadrado negro que se abría en la tierra reseca. Una losa de piedra con una argolla metálica yacía abandonada a un par de metros de aquella entrada tan oscura.

Yasmine se acercó unos pasos sin apartar la linterna del interior del agujero.

—Hay unas escaleras —anunció—. ¿Bajamos?

Víctor asintió, y se sacó el móvil del bolsillo para utilizarlo, a su vez, como linterna.

La abertura en el suelo era lo bastante ancha para permitirles introducirse en ella sin esfuerzo. En cuanto a los peldaños de la escalera, había algunos más altos que otros, y todos estaban muy desgastados por el paso del tiempo; pero si uno tenía cuidado, la bajada no resultaba excesivamente difícil.

Era, eso sí, un poco angustioso verse atrapado en un espacio tan reducido. Víctor, que iba bajando detrás de Yasmine, sentía que el calor húmedo del pasadizo se le adhería a la piel y volvía el aire pesado como el plomo. Tenía la sensación de que se ahogaba, de que no podía respirar.

Por fortuna, el tramo de escalones no era demasiado largo. Al final se encontraron con un corredor tan estrecho que había que caminar por él de lado, pero lo suficientemente alto para poder avanzar sin agachar la cabeza.

—Estoy deseando salir de aquí —dijo Víctor, mientras avanzaba detrás de Yasmine.

Su voz sonó casi irreconocible al rebotar contra los muros del pasadizo; tan apagada y lejana, que parecía venir de algún lugar distante, en la superficie.

—Yo también —confesó Yasmine en un susurro—. Pero mira: ¡aquí termina!

Era verdad. Habían llegado a una sala cuadrada relativamente amplia donde terminaba el corredor. Víctor percibió algo inquietante en ella desde el primer momento, pero tardó unos segundos en darse cuenta de lo que era...

La luz. Allí había luz. Un resplandor muy tenue, como el de las estrellas en una noche de verano. Estaba por todas partes, y no procedía de su móvil ni de la linterna que llevaba su amiga.

Víctor apagó la pantalla de su teléfono, y Yasmine hizo lo mismo con su linterna. El fulgor de las paredes pareció volverse más intenso entonces. Estaba compuesto de mil reflejos que temblaban alrededor de ellos, persiguiéndose unos a otros.

—Vienen de ahí —dijo Yasmine con voz temblorosa al tiempo que señalaba un lugar en el suelo, casi en el centro exacto de la estancia.

Víctor miró hacia el sitio que le indicaba su amiga. ¿Qué era aquel objeto redondo y dorado? Tenía un mango blanco, probablemente hecho de marfil. Y lo que había dicho Yasmine era cierto: de él provenían todos los reflejos que danzaban sobre las paredes.

—Es un espejo —murmuró, y se arrodilló junto a él.

No sabía por qué, aquella superficie metálica y resplandeciente le fascinaba. ¿Cómo podía brillar tanto? Lo lógico, si aquella cosa llevaba cientos o miles de años encerrada allí, habría sido que estuviese cubierta de polvo. ¿Por qué no lo estaba?

Sin pensárselo dos veces, alargó el brazo y rodeó con los dedos de su mano derecha el mango de marfil.

—Víctor, no —dijo Yasmine a su espalda—. No lo toques, no sabemos qué es.

—Es un espejo, está claro —repitió Víctor.

Lentamente, lo levantó para mirarse en él. De cerca, el brillo metálico del objeto era más cobrizo que dorado.

—¿Qué haces? —preguntó Yasmine alarmada—. Víctor, ¡no te mires en él!

Demasiado tarde. Víctor sostenía el espejo justo a la altura de su cara.

Pero lo que vio en él no fue su reflejo, como habría sido de esperar. No. Desde la superficie de cobre lo miraba otra cara. Unos ojos que no había visto nunca...

Los ojos de un muchacho de rostro delgado y moreno que debía de tener su misma edad.

Capítulo 6

—¡Suelta eso, Víctor!

La voz de Yasmine resonó lejana en los oídos del muchacho, como si le llegase a través de la niebla. Sus ojos no podían apartarse de la imagen del espejo. ¿Eran imaginaciones suyas, o su superficie dorada se estaba volviendo líquida?

—¡Víctor, por favor, tíralo! ¡Puede ser peligroso!

Sí, estaba ocurriendo. El espejo se estaba llenando de pequeñas ondulaciones. Parecía un charco bañado por el sol.

Y mientras tanto, aquel misterioso rostro seguía allí, observando a Víctor en silencio con sus grandes ojos oscuros.

Instintivamente, Víctor deslizó la mano desde el marco del objeto hasta el interior dorado. Sus dedos se hundieron en el fluido luminoso que poco antes era duro metal.

Entonces sintió que algo tiraba de él, arrastrándolo al interior del espejo.

Casi al mismo tiempo, Yasmine le agarró por la camiseta.

—¡Suéltalo! —repetía—. Nos está arrastrando...

Sin embargo, Víctor apretó sus dedos alrededor del espejo. No entendía muy bien lo que estaba ocurriendo, pero quería que ocurriera. Quería que aquella fuerza incontrolable que emanaba de la luz dorada del espejo lo absorbiese, que lo llevase al otro lado.

Sintió un calor agradable en las mejillas, como cuando sales a un patio soleado después de haber permanecido un buen rato dentro de un edificio sombrío. Se miró el dorso de las manos: su piel parecía teñida de oro. Ya no oía a Yasmine, aunque sentía su mano tirando por la espalda del tejido de algodón de su camiseta... Sin embargo, no le molestaba.

Poco a poco, la bruma dorada que lo envolvía se fue disolviendo. Y entonces pudo ver al chico del otro lado del espejo desde los pies hasta la cabeza. Llevaba una túnica corta de lino crudo ceñida a la cintura, y los ojos pintados, como si fuera una chica. La mayor parte de su cráneo estaba afeitada, pero un largo y brillante mechón negro le caía sobre los hombros, sujeto en una coleta adornada con cintas y piedras de colores.

—No puede ser —susurró Yasmine, que también había terminado pasando al otro lado—. Es un egipcio... ¡un egipcio de verdad!

El muchacho egipcio se volvió hacia ella y le dedicó una amplia sonrisa. Luego juntó las manos sobre el

pecho, a modo de saludo, y pronunció una frase ininteligible.

Yasmine y Víctor se miraron.

—No me he enterado de nada —confesó Víctor, frustrado—. ¿Y tú?

—Tampoco.

—Pero se supone que te pasas el día estudiando las costumbres de los antiguos egipcios... ¿y resulta que no sabes su idioma?

—Conozco alguna palabra suelta, nada más. *Ur,* que significa grande; o *Anj,* que significa vida.

Durante aquel intercambio de frases, el joven egipcio no dejaba de mirarlos con el máximo interés. Al oír la palabra *Anj* su rostro se iluminó. De inmediato dio un paso al frente y, alargando el brazo derecho, dibujó con su índice una especie de cruz imaginaria en la frente de Víctor.

—¡El símbolo del *Anj*! —exclamó Yasmine—. Creo que también quiere dibujármelo a mí...

En efecto, el chico se plantó delante de Yasmine y, con una sonrisa, repitió el gesto que había realizado con Víctor.

—El dios Tot os envía —dijo al terminar, y se inclinó juntando las manos sobre el pecho, a modo de saludo—. Le pedí ayuda y me la ha concedido. ¡Es grande el poder del dios! Bienvenidos, mensajeros del otro lado del tiempo. Hace días que os estaba esperando. Me llamo Ahmes, y soy el hijo primogénito de Ankhaf, el arquitecto real.

Un estremecimiento recorrió la espalda de Víctor.

—Esto tiene que ser un sueño —murmuró—. No puede estar pasando de verdad.

—Pues está pasando—afirmó Yasmine en el mismo tono—. Estamos en el Antiguo Egipto. Pero ¿por qué entendemos su idioma?

—El dios me reveló lo que tendría que hacer si aparecíais —dijo Ahmes—. El signo del *Anj* en vuestra frente ha abierto vuestro espíritu. Ahora me entendéis y yo os entiendo a vosotros por el poder de Tot.

—Pero ¿por qué quería Tot que viniésemos aquí? —preguntó Víctor—. ¡No lo entiendo!

La sonrisa se borró del rostro de Ahmes.

—Yo se lo pedí. Tengo problemas; o más bien, mi padre los tiene. Como os he dicho, es el arquitecto de la reina Nitocris, nuestra faraona. Está construyendo su casa para la otra vida, que va a ser una pirámide como nunca se ha visto ninguna en la tierra del Nilo. Todo iba bien hasta hace un par de días: mi padre estaba supervisando la descarga de unos bloques de piedra desde un barco cuando una de las poleas se rompió y le cayó encima un enorme bloque de granito... Desde entonces no recuerda nada. Y tiene que entregar unos cálculos urgentemente al canciller... No sé qué pasará si se dan cuenta de que ha perdido la memoria.

—Pero, Ahmes, nosotros no somos médicos... ¿Cómo vamos a ayudar a tu padre?

—Lo ha examinado ya uno de los mejores médicos de palacio —dijo Ahmes—. Dice que se irá recuperando, pero necesita tiempo. Y tiempo es justo lo que no tenemos... Venid, será mejor que lo veáis con vuestros propios ojos.

Solo entonces se fijó Víctor en el espacio que los rodeaba. Se encontraban en un patio amplio, junto a un estanque lleno de peces que iban y venían en el agua verdosa. Alrededor del patio había paredes blancas con corredores y muchas ventanas. Las ventanas estaban protegidas por persianas de juncos que oscilaban en la brisa ardiente y húmeda.

—Mi padre está descansando en su cuarto, que es ese de ahí —dijo Ahmes, señalando una entrada sin puerta a la derecha—. Intentaremos hablar con él, a ver si ha mejorado algo.

Víctor dudó un momento antes de seguir a Ahmes. Yasmine, en cambio, parecía decidida a averiguar qué había detrás de todo aquello, y se fue rápidamente tras el joven egipcio.

Víctor los alcanzó justo al llegar a la entrada del cuarto de Ankhaf, el arquitecto real.

Sus ojos tardaron un poco en acostumbrarse a la penumbra de la habitación. Cuando lo lograron, Víctor distinguió un espacio casi vacío. Los únicos objetos que había en la estancia eran un par de recipientes de cerámica pintada, una estera, un cofre de madera y una cama con las patas talladas en forma de garras de león.

Lo primero que le llamó la atención de aquella cama era que estaba inclinada, ya que las patas de la cabecera eran más altas que las de los pies. Después, Víctor se fijó en el hombre que yacía sobre ella. Llevaba varios días sin afeitar, tenía las ojeras hinchadas, las mejillas hundidas y los labios de un color ceniciento. Desde luego, parecía enfermo.

El individuo se incorporó al notar la presencia de los recién llegados. Sus ojos brillantes de fiebre se clavaron en su hijo.

—Padre, los dioses han atendido mis súplicas —dijo Ahmes, precipitándose hacia la cama—. Estos son los enviados de Tot. Con su ayuda, conseguiremos entregar esos cálculos a tiempo y nadie se enterará de lo que te pasa.

Víctor y Yasmine intercambiaron una mirada.

—¿Tú eres buena en matemáticas? —dijo Víctor—. Yo no saco malas notas, pero soy un poco desastre con las cuentas...

—A mí me gustan, pero si lo que quieren es que les ayudemos a construir una pirámide... ¡No tengo ni idea de cómo se hace!

—La pirámide ya está casi terminada —dijo Ankhaf con voz débil; por lo visto, había captado perfectamente su conversación—. Pero hay que entregar al maestro de obra los cálculos de los *sechats* que hay que cubrir con pintura roja. Los fabricantes de pintura necesitan elaborar la cantidad exacta, sin pasarse ni quedarse cortos.

—¿Qué es un *sechat?* —preguntó Víctor.

—Pues diez mil codos cuadrados —contestó Ahmes, mirándolo como si fuera un ignorante. Enseguida se dio cuenta, por la cara del muchacho, de que aquella respuesta no le había aclarado nada.

—Deben de ser medidas que ellos utilizan —apuntó Yasmine.

Ankhaf los observaba con el ceño fruncido. Sus ojos enfermos brillaban incluso más que antes.

—Pues vaya ayudantes que nos ha enviado el dios Tot, si ni siquiera saben lo que es un *sechat* —dijo en tono cansado—. Ahmes, ahora quiero dormir. Llévatelos, anda. No creo que esto funcione.

Ahmes hizo una seña para indicar a sus compañeros que regresaran al patio. Él se unió a ellos unos instantes más tarde. Venía cabizbajo.

—Vamos, no te preocupes —intentó animarlo Yasmine—. Seguro que se recupera pronto.

—Más vale que sea así —dijo otra voz femenina, al tiempo que una muchacha emergía de las sombras de uno de los corredores—. Mañana es el día clave, Ahmes. He venido para avisarte.

—¿Quién es esta? —preguntó Víctor.

—Es Herit, la hija del jefe de los Secretos, uno de los escribas más influyentes de la corte —explicó Ahmes—. Herit, ¿qué pasa? Sabes que te castigarán si averiguan que has venido a vernos...

—El canciller ha convencido a la reina Nitocris de que contrate a un nuevo arquitecto, y llega mañana —explicó Herit—. Si logra hacer los cálculos antes que tu padre, lo sustituirá. Tenéis que probarle a la reina que tu padre puede cumplir sus funciones tan bien como siempre... Pero no te preocupes, Ahmes. Con la ayuda del dios Tot y de sus enviados, lo conseguirás.

Capítulo 7

—Este no es un lugar seguro para hablar —dijo Ahmes inspeccionando el patio con la mirada—. Vamos al jardín de atrás, allí no nos molestará nadie.

Ahmes los guio a través de un pasillo que se abría en el muro sur del patio hasta llegar a un pequeño huerto soleado. En una esquina había un hogar de ladrillo encendido, y por el olor que despedía, daba la impresión de que alguien estaba cocinando allí un guiso de cordero. En la esquina opuesta, a la sombra de un toldo, dos niños pequeños jugaban con un tablero en forma de serpiente enroscada y fichas que parecían cabezas de león.

—Son mis hermanos pequeños —explicó Ahmes—. Nunca me prestan atención, así que no os preocupéis por ellos. Y las esclavas que hacen la comida son extranjeras, apenas entienden nuestro idioma.

Víctor pensó entonces en lo extraño que resultaba que él y Yasmine, recién llegados del otro lado del tiempo, sí pudiesen entender a Ahmes. ¿Sería realmente cosa de magia? La magia del dios Tot... estaba deseando leer sobre él cuando regresase a su época.

Herit se sentó en el borde del pequeño estanque que ocupaba el centro del jardín. Llevaba una túnica de color azul intenso con un cinturón dorado, y su pelo negro estaba lleno de trencitas que se entrelazaban formando complicados diseños.

Yasmine se sentó junto a ella, y los chicos se quedaron de pie, frente a las muchachas.

—Ahmes, no quiero parecer un aguafiestas —comenzó Víctor—, pero creo que Tot se ha equivocado trayéndonos a Yasmine y a mí para ayudarte. No somos matemáticos ni arquitectos, no tenemos ni idea de lo que hace falta para terminar esos cálculos que necesita tu padre. Quizá podríamos volver a nuestra época y encontrar a alguien que sí pueda servir de ayuda... Aunque la verdad, no tengo ni idea de cómo volver.

—Si el dios os ha traído tiene que ser por una buena razón —afirmó Herit muy convencida—. Él sabe lo que hace.

—Pero es que nosotros no sabemos nada de vuestras matemáticas ni de vuestra forma de construir —explicó Yasmine—. Y vosotros lo que necesitáis es alguien que entienda vuestras dudas, que sepa hacer vuestros cálculos.

—¿Cómo sabes lo que necesitamos si todavía no os hemos explicado el problema? —preguntó Ahmes, impaciente—. Al menos podríais escucharlo, antes de decir que no nos podéis ayudar.

—Tienes razón —admitió Víctor—. A ver, explícanos lo que es.

—Veréis: como ya os explicó mi padre, la pirámide está casi terminada. La reina quiere que la pinten entera de un color rojo sangre, y debe estar terminada para los festivales de Isis, la reina de los dioses. El color rojo que ha elegido la reina es muy costoso de fabricar, y los maestros de obra no quieren desperdiciar ni un *henu*. Por eso necesitan saber exactamente qué superficie hay que pintar.

—O sea, que lo que hay que calcular es el área de la pirámide —dedujo Víctor inmediatamente—. ¡Pero eso es fácil! Hay que sumar el área lateral más el área de la base. El área lateral es la suma de la superficie de todos los triángulos que forman los lados de la pirámide. ¿Cuántos son, por cierto?

—Cuatro —contestó Herit—. La base es un cuadrado.

—¿Y sabemos la altura de esos triángulos?

—Me la sé de memoria. Mi padre encontró una forma muy ingeniosa de calcularla —explicó Ahmes—. Lo hizo poniendo un bastón vertical en el suelo y estudiando lo que medía su sombra a lo largo del día. Cuando la sombra fue igual de larga que el bastón, corrió a medir la sombra de la pirámide, porque en ese momento la sombra era igual de larga que la altura de la pirá-

mide. Le salieron 200 codos exactos, que es lo que él había previsto.

—Ya, pero esa es la altura de la pirámide en el centro, no la altura de cada uno de sus lados.

—Conociendo la altura de la pirámide y la distancia al centro desde el centro de una de sus caras, se puede calcular la altura del triángulo —explicó Ahmes—. Mi padre, al menos, sabe hacerlo. Y como yo le copio muchas veces los cálculos en papiros para que no se le olviden, recuerdo perfectamente el número: la altura de cada triángulo de los lados es de 235 codos.

—Todo esto de los codos está muy bien, pero no tengo ni idea de lo que significa —observó Yasmine—.

Víctor, si queremos ayudar, nosotros vamos a tener que pasar esas medidas a metros.

—Sería fácil si tuviésemos Internet —suspiró el muchacho—. Pero estamos en el Antiguo Egipto: no creo que tengan *wifi.*

—¿Ni siquiera en el palacio de los faraones? —preguntó Yasmine sonriendo—. Vamos, Víctor, saca el móvil, aunque solo sea por probar. A lo mejor nos llevamos una sorpresa.

—Es absurdo, Yasmine —dijo Víctor, pero a pesar de todo sacó el móvil del bolsillo, encendió la pantalla y pulsó el icono del navegador—. No sé por qué te estoy haciendo caso. Espera, espera... esto no puede ser, es imposible.

—¿A que se ha conectado? —exclamó Yasmine en tono triunfal—. ¿Lo ves? Te lo dije. Está claro que los dioses egipcios no hacen las cosas a medias.

Ahmes estaba observando la pantalla del móvil por encima del hombro de Víctor, y Herit también se levantó a mirar.

—¡Por Osiris! ¿Qué es eso? —preguntó Ahmes—. ¿Un cristal para ver el futuro?

—Algo así —contestó Víctor mientras introducía «codo egipcio» en el recuadro de búsqueda de su navegador—. Eh, mirad: aquí lo tenemos. Un codo egipcio equivalía, aproximadamente, a 0,523 metros. O sea, que la altura del triángulo, pasando de codos a metros... hay que multiplicar 235 por 0,523. Y salen 122,905 metros.

—Esa sería la altura de cada triángulo —dijo Yasmine—. Ahora necesitamos saber cuánto mide la base de cada triángulo. ¿Eso lo sabes, Ahmes?

—Sí: eran 250 codos.

—Pues entonces, pasándolo a metros... Tenemos que multiplicar 250 por 0,523. Y nos salen 130,75 metros.

—¡Genial! —dijo Yasmine—. Ahora ya tenemos todos los datos que necesitamos en metros. Para calcular el área de cada triángulo, tenemos que multiplicar base por altura y dividir por dos.

—Eso es —confirmó Víctor—. O sea, 130,75 multiplicado por 122,905... Nos da 16069,82875. Y si lo dividimos por dos... Salen 8 034,914375 metros cuadrados.

—¿Ese es el número que necesita el padre de Ahmes? —preguntó Herit.

—No, esa es la superficie de cada uno de los triángulos de la pirámide —dijo Víctor—. Para calcular la superficie total de la pirámide hay que sumar las superficies de sus cuatro caras más la de su base, que es un cuadrado de 130,75 metros de lado.

—Ya, pero en este caso no necesitamos el área completa de la pirámide, Víctor —apuntó Yasmine—. Piensa que el suelo no lo van a pintar de rojo, solo las caras. Así que basta con multiplicar el área de uno de los triángulos por cuatro... ya que todas las caras son iguales.

—Eso es —dijo Víctor, introduciendo la multiplicación en la calculadora de su móvil—. Y el resultado son... 32 139,6575 metros cuadrados.

Ahmes se quedó mirando a Víctor con expresión interrogante.

—No sé lo que son metros cuadrados, así que ese número no me va a servir de mucho —explicó.

Víctor asintió.

—Claro, tienes razón. Necesitamos saber qué medida utilizáis vosotros para medir superficies. Será el codo cuadrado, me imagino, según lo que nos dijo tu padre.

—Utilizamos el *sechat*, que equivale a la superficie de 10 000 cuadrados de un codo de lado.

—*Sechat...* Vamos a ver si viene en Internet a cuántos metros cuadrados correspondería —dijo Víctor, e introdujo la palabra en el recuadro de búsqueda.

Su rostro se iluminó cuando apareció en la pantalla el resultado—. ¡Aquí está! Un *sechat* equivale a 2 735,29 metros cuadrados.

—Vale. Entonces tenemos que dividir los metros cuadrados que nos han salido antes por 2 735,29 —dedujo Yasmine—. ¿Lo estás haciendo?

—Sí —confirmó Víctor—. Y aquí está el resultado. Prepara tus papiros para apuntar el número, Ahmes, o grábatelo en la memoria para que no se te olvide. Necesitáis pintura roja suficiente para cubrir 11,75 *sechats*.

—¡Vamos a ver a mi padre para contárselo! —propuso Ahmes, entusiasmado—. Cuando le expliquéis cómo lo habéis hecho, se animará, seguro. A lo mejor le sirve para refrescarle la memoria, y recuerda su propia forma de hacer los cálculos... ¡Vamos, no hay tiempo que perder!

CAPÍTULO 8

Estaba anocheciendo, y la luna brillaba redonda y plateada sobre el horizonte, por encima de las palmeras que bordeaban el Nilo. Víctor y Yasmine se encontraban con Ahmes y su padre en el tejado de su casa, que formaba una terraza amplia. Era el lugar más fresco de la vivienda, y la familia se reunía allí a menudo. Pero la madre y los hermanos pequeños de Ahmes no los acompañaban en esta ocasión.

La transformación que había experimentado Ankhaf en las últimas horas resultaba asombrosa: el brillo febril había desaparecido de sus ojos, se había afeitado, e incluso había abandonado la cama para acompañarlos durante la cena. Aunque todavía se le veía demacrado, la sonrisa de su rostro mostraba bien a las claras que su estado de ánimo había mejorado considerablemente.

Sobre una mesa, en el centro de la terraza, quedaban los restos de la cena: dátiles, melón, uvas, y los huesos de las codornices asadas que habían tomado como plato principal.

—¿Un poco más de cerveza, chicos? —preguntó Ankhaf amablemente.

—No, de verdad —dijo Yasmine, que no había probado nada de bebida en todo el tiempo—. En nuestra época los niños no beben alcohol. Bueno, y en mi país, tampoco los adultos. Lo prohíbe nuestra religión.

—¿Tu país está muy lejos? —se interesó Ahmes.

—En realidad, está aquí mismo, pero en un tiempo futuro —explicó la muchacha.

—¿Y cómo se llama vuestro faraón? —quiso saber Ankhaf.

—Ah... nosotros ya no tenemos faraones. Ni tampoco adoramos a Tot, ni a Ra, ni al resto de vuestros dioses... Las cosas han cambiado mucho.

Ankhaf y Ahmes se miraron confundidos.

—Pero eso es imposible —dijo Ahmes—. Los dioses jamás abandonarían a nuestro pueblo. Nosotros construimos templos para ellos, nunca nos olvidamos de honrarlos.

Yasmine no quería entristecer a Ahmes y a su padre contándoles lo poco que se acordaba la gente de los antiguos dioses en su época, así que intentó cambiar de conversación.

—La cena estaba riquísima —dijo—. Te damos las gracias, Ankhaf, por tu hospitalidad.

—Es lo menos que podía hacer por vosotros, después de lo que vosotros habéis hecho por mí —replicó el arquitecto real sonriendo—. ¡Vuestra forma de resolver el cálculo del área que hay que pintar me ha gustado mucho! Y esa medida vuestra, el metro... es una idea sencilla y elegante. Metro, metro cuadrado... Sí. Puede que empiece a utilizarla a partir de ahora.

—Está claro que Yasmine y Víctor te han refrescado la memoria —observó su hijo con los ojos brillantes de alegría—. ¡Es la primera vez desde que te golpeaste la cabeza que te oigo hablar como antes! ¿Has recuperado los recuerdos?

—No recuerdo el momento del golpe, pero sí algunos de los cálculos que había olvidado —contestó Ankhaf—. Y todo gracias a vosotros... y al dios Tot, que os ha traído hasta mí.

—No te olvides de la diosa Bastet —dijo Víctor, arrastrando un poco las palabras—. Ella también estaba.

Apenas había probado un sorbo de cerveza, pero sentía la cabeza tan ligera como si la tuviese llena de burbujas. Había pedido agua para ver si se le pasaba el efecto, pero Ahmes y su padre le habían mirado como si estuviese loco.

—El agua puede provocar enfermedades si se bebe —le habían dicho—. Nadie que pueda permitirse comprar cerveza bebe otra cosa por aquí.

—Hablando de Bastet y de Tot, eso me recuerda que deberían haber venido a recogernos —dijo Yasmine, mirando a Víctor con expresión preocupada—. ¿Cómo vamos a volver a nuestra época si no? ¡Espero que no se hayan olvidado de nosotros!

—Quizá piensen que todavía no ha llegado el momento —sugirió Ahmes—. ¡Si habéis llegado esta misma mañana! No tengáis tanta prisa por marcharos; todavía no habéis visto el palacio de Nitocris. Y además, yo voy a echaros de menos.

—Hagamos una cosa, Ahmes —dijo su padre—. ¿Por qué no acompañas a tus amigos a las habitaciones de las mujeres, para que les preparen una cama y puedan dormir a gusto? Necesitáis descansar, muchachos... Y no os preocupéis por los dioses; cuando decidan que ha llegado el momento vendrán a buscaros.

—¿Por qué a las habitaciones de las mujeres? —protestó Víctor—. Yo no soy una mujer...

—Allí hay más espacio —explicó Ahmes—. Estaréis más cómodos. Yo dormía en esa parte de la casa hasta hace poco, y mis hermanos aún siguen allí. Eso me recuerda que tengo que darle a mi hermano Sabni la pelota de cuero que se le descosió el otro día... Esperadme en el patio, si queréis. Salgo enseguida.

Víctor y Yasmine se despidieron de Ankhaf y salieron al patio a esperar a Ahmes. Las estrellas brillaban por encima de las palmeras, que se mecían con suavidad en la brisa.

Mientras esperaban, Víctor vio una sombra que se deslizaba rápidamente sobre una de las paredes blancas. Al mismo tiempo, Yasmine le agarró un brazo con fuerza.

—¿Lo has visto? Era otra de esas sombras —susurró—. Pero no tenía cabeza de pájaro, ni de gato.

—No. Parecía un lobo, o algo así... un animal con el hocico largo y curvado —dijo—. ¿Sabes quién es?

—Ni idea. Mira, ahí está otra vez... ¿Y esa puerta en el muro? ¡Juraría que no estaba ahí antes!

Yasmine tenía razón. El patio no tenía ninguna entrada por ese lado; al menos, Víctor no la había visto. Y de pronto, ahí estaba. La sombra con cabeza de animal la atravesó, y después se volvió un instante, como si estuviese esperándolos.

Sin pensar en lo que hacía, Víctor empezó a caminar hacia la puerta. Un impulso irrefrenable lo obligaba a seguir a aquella criatura. No había sentido lo mismo cuando él y Yasmine siguieron a las sombras de Tot y Bastet. Entonces podría haberse detenido en cualquier momento... habría podido decidir que no quería continuar. Sin embargo, ahora no podía. Necesitaba seguir los pasos de aquel ser. No dependía de su voluntad.

A Yasmine debía de estar ocurriéndole lo mismo, porque avanzaba como una sonámbula a su lado. La magia que los guiaba esta vez parecía aún más poderosa que la de las otras ocasiones... ¿Adónde querría conducirlos?

«Quizá haya venido para guiarnos de regreso a casa», se dijo Víctor.

Pero en el fondo, él sabía que no era cierto. Su instinto le decía que la sombra los estaba llevando hacia otra parte... y que debía intentar rebelarse contra su influjo.

El problema era que no podía rebelarse. Sus piernas no le obedecían, se movían como si él no las controlara. Justo en el momento de atravesar la misteriosa puerta que había aparecido en el muro, se volvió a mirar a Yasmine. En los ojos de la muchacha había miedo... lo mismo, probablemente, que en los de él.

Intentó esperarla, pero no consiguió que sus pasos se volvieran más lentos. Ninguno de sus movimientos dependía ya de él. Por eso, después de unos minutos dejó de esforzarse por controlarlos. Decidió dejarse arrastrar. De todos modos, ¿qué otra cosa podía hacer?

Las suelas de sus zapatillas no hacían ruido al pisar la mullida arena sobre la que caminaban. A lo lejos, la sombra que los guiaba erguía su extraña cabeza de animal contra el azul oscuro del cielo. Un paso, otro, otro más...

Lentamente, el ritmo de aquellas pisadas silenciosas se fue introduciendo en la mente de Víctor, hasta que ya no pudo pensar en nada. Era como si estuviese hipnotizado... ¿Se estaba durmiendo?

Un momento después de que se hiciera aquella pregunta, sus piernas se doblaron y el muchacho se derrumbó en el suelo, inconsciente.

Capítulo 9

Lo primero que notó Víctor al recuperar la conciencia fue un canto lejano de voces masculinas. No entendía las palabras que entonaban aquellas voces, y la melodía sonaba lúgubre y misteriosa.

Cuando abrió los ojos, quedó deslumbrado por las antorchas que lo rodeaban. ¿Por qué su fuego era verdoso? ¿Le habrían echado a la madera alguna sustancia especial con el fin de conseguir aquella tonalidad en las llamas?

Solo cuando su mirada logró acostumbrarse al resplandor de las luces, se dio cuenta de que Yasmine yacía a su lado, aparentemente dormida. Y también se dio cuenta de que no estaban solos... las antorchas las sostenían unos individuos con el cráneo rapado y largas túnicas oscuras.

Al verlo despertar, uno de aquellos hombres se le acercó y se arrodilló a su lado.

—Nuestro señor Set ha atendido nuestras plegarias —dijo, y esta vez Víctor sí lo entendió—. ¡El extranjero ha despertado! El dios nos lo envía para ayudarnos a construir su templo. ¡Extranjero, dinos tu nombre y nada temas! Si obedeces la voluntad de Set, nada te faltará mientras vivas, y llevarás entre nosotros una existencia digna de reyes.

Víctor sintió un escalofrío al oír aquellas palabras.

—Perdone, esto... esto debe... tiene que ser un error —balbuceó mientras intentaba distinguir en la penumbra los rasgos del hombre que le había hablado—. ¡Yo no soy de aquí! Y respeto mucho a vuestros dioses, pero yo lo que quiero es irme a mi época, con mis padres.

—Set es también tu dios, pues es el dios de los extranjeros —explicó el hombre con calma—. Y a los que se pliegan a sus designios los trata con clemencia. Pero a los que se niegan a obedecerle... ¡Solo el dolor y la muerte les aguardan! Él te ha traído hasta nosotros para que nos ayudes. Sabemos que has ayudado a Ankhaf, el arquitecto de la reina. Solo te pedimos que hagas lo mismo por nosotros.

En ese momento, Yasmine, que había permanecido muy quieta en el suelo hasta ese instante, se incorporó como movida por un resorte.

—Lo he oído todo —confesó con voz vibrante, encarándose con el sacerdote de Set—. Solo estaba fingiendo que seguía dormida. Oiga, buen hombre, si quiere que le ayudemos a calcular cuánta pintura necesita para su templo, haremos lo que podamos... pero después nos tiene que dejar marcharnos a casa.

El sacerdote miró con severidad a Yasmine.

—La muchacha ha despertado —dijo en tono solemne—. Avisad a mi hermana, la gran sacerdotisa del templo de Hator, para que venga a buscarla. Aquí no puede estar.

—Un momento —intervino Víctor, alarmado—. Nuestros poderes... solo funcionan si estamos juntos. Si ella no está conmigo no podremos ayudarles con lo del templo.

—Sumo sacerdote Setka, deja que se quede —dijo otro de los hombres desde el círculo de antorchas—. Necesitamos la ayuda del extranjero.

—Pero nunca ha habido mujeres en el templo de Set —respondió el tal Setka, que era el que había hablado en primer lugar—. Y yo no sé si al dios...

—¡Vamos, Setka! ¡Él la ha traído hasta nosotros, junto con el muchacho!

El sumo sacerdote pareció convencerse con aquel último argumento.

—Está bien —decidió—. Buscaremos la forma de que la muchacha se quede... Pero antes, pruébanos que estás dispuesto a cooperar, extranjero. Dinos, si lo sabes, cuántos *heqats* de agua cabrían en la gran pirámide de la reina. Si tu respuesta es acertada, nuestro señor Set hará que las llamas de las antorchas se vuelvan azules. Si no cambian de color... será que tus cálculos son erróneos, y pagarás por tu error.

Víctor tragó saliva.

—Está bien, pero necesito usar mi cristal mágico —dijo, al tiempo que sacaba el móvil—. A ver: si lo he entendido bien, ustedes lo que quieren saber es el volumen de la pirámide de la reina... Aquí en la agenda dejé anotado lo que medía el lado de la base, eran 130,75 metros. Y la altura de la pirámide eran 200 codos... Para pasarlo a metros hay que multiplicar por 0,523, que son los metros que mide cada codo... y me salen... 104,6 metros.

—Víctor —intervino Yasmine—. ¿Te has dado cuenta de que tienes solo el diez por ciento de batería? Como se te acabe...

—Lo sé, tengo que darme prisa... pero es que no me quiero equivocar. A ver, si no recuerdo mal, la fórmula del volumen de una pirámide era... ¡Ay, Dios, no me acuerdo!

—Área de la base por la altura dividido entre tres —dijo Yasmine—. ¡Venga, rápido!

—Como la base es un cuadrado, su área es 130,75 por 130,75... que nos da 17 095,5625 metros cuadrados. Y ahora multiplicamos por la altura, 104,6... ¡Y tenemos 1 788 195,8375! Que dividido entre tres... Da 596 065,27917 metros cúbicos. ¡Qué barbaridad! Sí que haría falta agua para llenar esa pirámide.

—Pero ahora tienes que pasarlo a esa medida que ellos han dicho. *Heqats*... ¡Busca a cuántos metros cúbicos equivale!

—¡Seis por ciento de batería! Me estoy poniendo nervioso. A ver... Sí, aquí está. Un *heqat* egipcio equiva-

lía a 4,8 litros. Primero hay que pasar la cifra anterior a litros multiplicándola por mil, y luego lo que salga lo dividimos por 4,8. Y nos salen casi... 124 180 266,49 *heqats*. Los sacerdotes se miraron unos a otros como si aquella cifra tan grande no tuviese sentido para ellos. Sin embargo, el fuego de sus antorchas empezó a cambiar lentamente de color. El verde se hizo más intenso, y luego se transformó en un azul profundo. Setka, el sumo sacerdote de Set, contemplaba la transformación con la boca abierta.

—¡Lo hemos conseguido! —dijo Yasmine, abrazando a Víctor—. ¡No puedo creerlo!

—Sí, lo hemos conseguido —dijo Víctor, sonriendo de oreja a oreja—. Espero que esta gente esté contenta... ¿Era esto lo que querían, señores sacerdotes? Pues entonces, si nos lo permiten... Nosotros nos vamos.

Víctor cogió de la mano a Yasmine y ambos comenzaron a caminar hacia el círculo de antorchas, pero los sacerdotes se juntaron unos con otros para impedirles el paso.

—¿Y ahora qué? —dijo Yasmine, furiosa—. Hemos superado la prueba, ¿no?

—Exactamente. La prueba que demuestra que podéis ser una valiosa propiedad para el templo de Set —explicó Setka en tono tranquilo—. A partir de ahora seréis considerados los esclavos del dios... Como os dije antes, recibiréis el mejor trato. Pero eso sí, siempre dentro de estos muros.

—¡Pero eso no puede ser! —gimió Yasmine—. ¡No podemos quedarnos aquí para siempre! Víctor, llama a tus padres por el móvil, anda... ¡Es lo que deberíamos haber hecho desde el principio!

—Demasiado tarde —dijo Víctor, mirando fijamente la pantalla de su móvil—. Batería agotada. De todas formas, no creo que hubiese funcionado... ¡Estamos a miles de años de distancia!

Justo en ese momento se oyó un estruendo en la oscuridad, como si alguien moviese un pesado engranaje de madera y metal. Un instante después, la luz del sol invadió la penumbra del templo, al tiempo que un destacamento de hombres armados penetraba en él.

—¿Quién osa perturbar la paz de la morada de Set? —rugió Setka, furibundo.

Un hombre alto y elegante, el único de todo el grupo de recién llegados que no portaba armas, se adelantó a los demás.

—Soy Woser, el jefe de los Secretos de la Casa de la Vida, y estoy aquí en nombre de Su Majestad, la reina Nitocris... Se acabó el juego, Setka. Estos jóvenes no son tus esclavos ni los de nadie, y debes dejarlos marchar.

Capítulo 10

—Deprisa, muchachos; no miréis atrás —susurró Woser, el jefe de los Secretos de la Casa de la Vida, mientras avanzaban por el gran pasillo del templo de Set hacia la salida—. El Sumo Sacerdote Setka podría cambiar de opinión en cualquier momento e impedirnos que nos vayamos. Él también tiene hombres armados... Pero ya estamos cerca de las puertas.

Víctor asintió, incapaz de pronunciar una sola palabra. Las piernas le temblaban tanto que temía derrumbarse en cualquier momento. A su lado, Yasmine caminaba con pasos tan inseguros como los suyos. Estaba muy pálida. Solo cuando entraron en el cono de luz solar que procedía de la salida comenzaron a relajarse.

Una vez fuera, el destacamento de soldados que los rodeaba se dispersó. Al parecer, iban a tomar posiciones por si los sacerdotes de Set cambiaban de opinión y se decidían a atacarlos.

Víctor se sorprendió al comprobar que el sol brillaba en lo más alto del cielo. ¿Cuánto tiempo había pasado desde que empezaron a seguir a la sombra con cabeza de lobo extraño? Entonces acababa de oscurecer... Debían de haber permanecido inconscientes durante toda la noche y buena parte de la mañana.

Ahmes y Herit estaban esperándolos bajo un toldo, a la puerta de una de las chozas que se amontonaban frente al templo. Cuando los vieron salir, ambos corrieron a su encuentro. Herit abrazó a Yasmine, y Ahmes estrechó con fuerza el brazo de Víctor.

—¡Menos mal que estáis a salvo! —dijo Herit—. Si no llega a ser por mi padre, no sé qué habrían hecho esos locos con vosotros... ¿Os han tratado bien, al menos?

—Más o menos. Pretendían que nos convirtiésemos en esclavos de su dios y que nos quedásemos en ese templo para siempre —explicó Yasmine, estremeciéndose—. ¿Tu padre es Woser?

—Así es —contestó el propio Woser—. Confieso que tuve mis dudas antes de venir a rescataros. La historia que me contó Herit sonaba disparatada... Me alegro de haberle hecho caso, porque tenía razón. No sé cómo adivinó lo que os estaba pasando... Está claro que tengo una hija muy intuitiva.

—No lo adiviné, padre, ya te lo dije. Ahmes me avisó de que sus amigos habían desaparecido... y entonces vi la sombra de la diosa Bastet. Fue muy extraño; como si me hablase directamente al corazón. Me dijo que estaban aquí... Ahmes no la vio, pero te juro que estaba a mi lado.

—Bueno, bueno, el caso es que estáis a salvo —concluyó Woser, mirando con una sonrisa a Víctor y a Yasmine—. ¿Os encontráis bien? ¿Podéis caminar hasta ese barco que nos aguarda ahí?

Víctor y Yasmine asintieron.

—Entonces vamos. El viento es favorable, yo creo que llegaremos a tiempo.

—¿A tiempo de qué? —preguntó Víctor.

—Ya lo veréis —contestó Ahmes con un brillo de misterio en los ojos—. Es una sorpresa.

Ahmes y Herit se situaron en la proa del barco, mientras Víctor y Yasmine ocupaban unos cojines en el centro. La travesía le sirvió a Víctor para recuperar fuerzas después del episodio que él y Yasmine habían vivido en el templo de Set. Una suave brisa hinchaba la vela de la nave, que se deslizaba a toda velocidad por las aguas del Nilo. Cuando uno de los criados de Woser le ofreció un cuenco lleno de uvas, Víctor cayó en la cuenta de lo hambriento que estaba. ¡Claro, no habían comido nada desde la noche anterior! A partir de ese instante, dedicó el resto del trayecto a desgranar y consumir varios racimos de uvas jugosas y negras. Aún tenía los dedos pegajosos cuando llegaron al embarcadero.

Al levantar la vista, Víctor dejó escapar un grito de admiración. Allí, muy cerca del agua, se erguía la pirámide de la reina Nitocris, y era mucho más grande de lo que él se había imaginado.

—¡Es increíble! —dijo—. Y pensar que de esta maravilla no queda apenas nada en nuestra época...

—Pero hay algo que no encaja, Víctor —observó Yasmine—. El yacimiento en el que van a trabajar tus padres no se encuentra tan cerca del río. Si quieres saber mi opinión, yo creo que la pirámide que ellos han encontrado no es esta.

—Entonces, eso significaría que hay dos pirámides... Claro, ¡la otra es la pirámide de Ahmes, eso ponía en la inscripción! Ahmes, como nuestro amigo. ¿La construirían en su honor?

—Puede que sí —contestó Yasmine—. Y si es así, eso significa que va a convertirse en una persona muy importante cuando sea mayor.

—Creo que en la inscripción ponía «Ahmes, arquitecto real». O sea, que va a seguir los pasos de su padre...

—Vamos, chicos —les interrumpió Woser acercándose desde la parte delantera de la embarcación—. La reina ya ha llegado, y el padre de Ahmes debe de estar ya con ella. ¿Oís la música? Siempre acompaña a la reina Nitocris.

—¿En serio vamos a ver a la reina? —preguntó Yasmine asombrada.

—Pues sí. Venid conmigo... Estarán todos en el estrado que la reina ha hecho construir en el lado sur para el día de la inauguración.

Víctor siguió a los demás mientras rodeaban la pirámide. Una música de flautas e instrumentos de percusión

inundaba el aire. Cuando la reina y su comitiva vieron aproximarse al jefe de los Secretos de la Casa de la Vida acompañado de los cuatro jóvenes, la música cesó instantáneamente. Las doncellas que rodeaban a la reina se apartaron para dejarle paso.

Una mujer con una alta tiara de plumas sobre sus brillantes cabellos negros avanzó majestuosamente para darles la bienvenida. Detrás de ella se encontraba Ankhaf, el arquitecto real.

—Entonces era cierto —dijo Nitocris.

A pesar de que su voz era grave y melodiosa, todos pudieron oírla a la perfección gracias al profundo silencio que se había instalado entre los presentes.

—Esta vez el Sumo Sacerdote Setka ha colmado mi paciencia —añadió la reina con el ceño fruncido—. Jóvenes extranjeros, aproximaos a mí. Me dice Ankhaf que venís de tierras lejanas y que le habéis sido de gran utilidad en estos últimos días. Confieso que estaba muy preocupada por el accidente que ha sufrido nuestro gran arquitecto... tanto como lo estaba nuestro canciller —añadió, dirigiendo una burlona sonrisa a un individuo enclenque y cubierto de joyas de oro que se mantenía respetuosamente inclinado a su izquierda—. Por fortuna, la evolución de Ankhaf no ha podido ser más favorable. Así lo prueban los cálculos que esta misma mañana ha entregado a los maestros de obra de la pirámide. Gracias a él, pronto estará terminada... Ha llegado la hora de que la reina demuestre su gratitud.

Sin volver la cabeza, Nitocris chasqueó los dedos de la mano derecha. Al instante, dos hombres avanzaron hacia Ankhaf portando un pesado cofre entre los dos.

—Ábrelo —ordenó la reina—. Esto es solo un regalo que quiero añadir a tu salario de arquitecto real como prueba de mi aprecio por ti. Tu hijo y los jóvenes que le acompañan pueden subir también al estrado para verlo. Y a ti, Woser, jefe de los Secretos de la Casa de la Vida, te ruego que te unas a nosotros. Hoy, como siempre, nos has servido bien.

Víctor subió con los demás al estrado de tablas donde se hallaban la reina y su séquito. Un poco acobardado, se abrió paso entre las damas de Nitocris para acercarse al cofre que Ankhaf acababa de abrir.

Dentro del cofre había varias telas dobladas, todas ellas blancas y con bordados de oro. Sobre las telas reposaba un largo collar dorado y adornado con piedras preciosas. También se veían media docena de recipientes de cerámica sellados y una caja alargada que parecía de marfil, con complicados dibujos tallados en su superficie.

—Los ungüentos y aromas que los perfumistas reales han fabricado expresamente para mí con las más costosas fragancias de Oriente son ahora tuyos, Ankhaf —dijo la reina—. Como lo es ese juego de Senet hecho de marfil, que te traerá la protección del dios Ra en tu travesía final al reino de los Muertos. Todo te lo has ganado con tu talento, amigo mío... Gracias a ti y a la pirámide que me has construido, me has asegurado la inmortalidad.

Capítulo 11

—Ha sido increíble —dijo Yasmine después de que la reina se retirase con todo su séquito—. ¡Hemos visto a la faraona Nitocris con nuestros propios ojos! ¡Y hasta hemos hablado con ella!

—Sí, ha sido impresionante —murmuró Víctor sin mucho entusiasmo.

Yasmine le miró preocupada.

—¿Qué te pasa? Todo ha salido bien, deberías estar contento.

—Lo estaría si supiera cómo volver a casa. Quiero decir, a nuestra época. Pero no tengo ni idea... Piénsalo, Yasmine: estamos atrapados en algún momento lejano del Imperio Antiguo, unos dos mil años antes de Cristo. No sabemos cómo hemos llegado hasta aquí, se supone que nos trajo un dios con cabeza de pájaro llamado Tot... ¿Y ahora qué? ¿Quién nos va a devolver a nuestro mundo?

—No lo sé —reconoció Yasmine—. Yo pienso que si el dios Tot nos trajo, será él quien nos lleve de regreso a nuestra época.

—Eso, suponiendo que se acuerde de nosotros. A lo mejor ahora que ya hemos ayudado a su protegido, el padre de Ahmes, el dios se olvida completamente de que existimos.

—No, no creo que pase eso. Seguro que vendrá a buscarnos antes o después.

—Está bien, supongamos que tienes razón. El dios Tot vendrá a buscarnos. El problema es... ¿cuándo? ¿Cuánto tendremos que esperar?

A Yasmine, entonces, se le iluminaron los ojos.

—Ya sé quién puede ayudarnos: Woser, el padre de Herit. Es el jefe de los Secretos de la Casa de la Vida, que es la casa de los escribas. El dios Tot es precisamente el dios de la escritura. Seguro que Woser sabe más sobre él que nadie de por aquí.

—Pues no perdamos el tiempo, entonces. Vamos a preguntarle qué podemos hacer.

Encontraron al padre de Herit charlando animadamente con Ankhaf. Los dos estaban muy satisfechos por la forma en que había transcurrido el encuentro con la reina. Ahmes y Herit, por su parte, se habían sentado a la orilla del río y estaban contemplando el atardecer. Daba la impresión de que entre ellos había una amistad muy especial... y de que sus padres veían esa amistad con buenos ojos.

—Me alegro de que el intrigante del canciller no se haya salido con la suya —le estaba diciendo Woser al arquitecto real—. Pero no bajes la guardia, Ankhaf. El canciller es un hombre rencoroso, y si tiene ocasión tratará de perjudicarte ante la reina. ¿Qué ocurre, muchachos?

—Como jefe de los Secretos de la Casa de la Vida, necesitamos consultarte algo —explicó Yasmine—. Es sobre el dios Tot. Él nos trajo hasta vosotros, pero ahora no sabemos cómo regresar a nuestra época. ¿Hay alguna forma de invocar al dios para que venga a buscarnos?

Woser se quedó pensativo un momento antes de contestar.

—Creo que lo mejor que podemos hacer es ir hasta su templo. Allí quizá logremos comunicarnos con él. Aunque ya os advierto que va a ser complicado. Los dioses no siempre están dispuestos a escuchar las peticiones de los hombres. Como escriba, he acudido en muchas ocasiones a honrar a Tot en su templo, pero él nunca se me ha manifestado como lo hizo ante vosotros.

—De todas formas, no perdemos nada con intentarlo —dijo Víctor—. ¿Está muy lejos el templo?

—Hay que descender por el río hasta aquel recodo que veis a lo lejos. En el barco llegaremos enseguida.

—Yo y los chicos os esperaremos aquí —dijo Ankhaf—. ¡Buena suerte, muchachos!

—¡Gracias! —contestaron Yasmine y Víctor a coro.

Siguiendo a Woser, descendieron la suave pendiente que los separaba del río. En cuanto llegaron al barco, el padre de Herit comenzó a dar órdenes a los marineros para que soltasen amarras y desplegasen la vela.

—¿Adónde vais? —preguntó Ahmes al ver que se disponían a partir.

—Al templo del dios Tot —contestó Woser.

—¿Podemos acompañaros?

—Creo que es preferible que os quedéis aquí. Necesitamos respuestas del dios... y será más fácil obtenerlas si voy yo solo con ellos.

Víctor y Yasmine subieron a la embarcación. Los marineros hundieron sus pértigas en el agua para impulsar al barco lejos de la orilla. Unos instantes más tarde estaban navegando por el medio del río Nilo, cuyas aguas reflejaban el cielo rosado de la tarde.

—¡Mirad! —dijo Woser señalando unas aves de plumaje claro y picos largos y curvos—. ¡Media docena de ibis! Sin duda es un buen signo.

—¿Por qué? —quiso saber Víctor.

—¿No te acuerdas? El ibis es el ave de Tot —explicó Yasmine—. ¡Él mismo tiene cabeza de Ibis!

—Así es —confirmó Woser—. Y eso me recuerda que son muchas las cosas que ignoráis sobre nuestros dioses... y que no debemos cometer errores cuando lleguemos al templo. Vosotros no conocéis las fórmulas que se deben pronunciar para que los sacerdotes permitan acceder al interior, así que será mejor que me esperéis fuera mientras yo hablo con ellos. Tenemos que lograr que nos dejen el camino despejado para entrar solos al santuario, que es la parte más oculta y sagrada del edificio.

Continuaron navegando en silencio hasta que llegaron a la altura del meandro en cuyas orillas se alzaba el templo del dios de la escritura. Los marineros de Woser utilizaron sus pértigas para dirigir la embarcación hacia la ribera arenosa.

Mientras ellos se encargaban de amarrar el barco al muelle y arriar la vela, Woser y los muchachos saltaron a tierra. Una estrecha avenida empedrada conducía directamente desde el embarcadero hasta la entrada principal del templo.

—Dejad que yo me adelante para que nos abran las puertas —dijo el jefe de los Secretos de la Casa de la Vida—. ¡Esperemos que lo consiga!

Yasmine y Víctor observaron cómo se alejaba a buen paso por la avenida flanqueada de estatuas.

—¿Tú crees que saldrá bien? —preguntó Yasmine con un hilo de voz—. Es nuestra única esperanza.

—No lo sé. De todas formas, tenemos que intentarlo.

Esperaron un buen rato sin moverse. Cuando vieron que Woser llegaba hasta las puertas del templo, se pusieron de nuevo en camino.

—Está hablando con uno de los sacerdotes —observó Yasmine mientras avanzaban—. Y ahora salen más... ¿Qué estará contándoles?

—No lo sé —contestó Víctor—. Pero ellos le escuchan con respeto; o eso parece... es difícil distinguir lo que pasa a esta distancia.

—Mira, los sacerdotes vuelven a entrar... Y Woser se queda. Está esperándonos.

Cinco minutos más tarde llegaron ellos también hasta las puertas del templo del dios Tot, que eran altísimas y parecían recubiertas de oro.

—Buenas noticias —murmuró Woser—. Os van a permitir entrar. Eso sí, no debéis pronunciar ni una sola palabra mientras estemos en el interior.

—Pero entonces, ¿cómo vamos a comunicarnos entre nosotros si vemos o sentimos algo especial?

—Se supone que, si eso ocurre, todos lo veremos, así que no debes preocuparte por eso, Yasmine.

Como si alguien hubiese estado esperando a que terminasen de hablar, las puertas doradas se abrieron en ese momento. El interior del templo estaba oscuro y olía a incienso, o quizá a otras sustancias parecidas.

Víctor avanzó en la penumbra detrás de Yasmine. Woser iba en último lugar.

Las paredes del templo estaban bellamente decoradas con pinturas y jeroglíficos. En el suelo ardían lámparas de aceite, y sus llamas temblorosas se reflejaban en los colores de las escenas pintadas. El dios Tot aparecía en muchas de ellas, a veces solo, a veces rodeado de humanos o acompañado de otros dioses con cabezas de animales.

Víctor trataba de fijarse en todas aquellas representaciones para que no se le escapara ni el más mínimo detalle. Esperaba que, en cualquier momento, una

de ellas se despegase de la pared y se transformase en la sombra viva que los había guiado hasta aquella época la primera vez. Sin embargo, eso no ocurrió.

Después de atravesar aquella sala, que era muy larga, salieron a un patio decorado con altas columnas. Las primeras estrellas brillaban ya en el cielo.

Más allá del patio había otra estancia más pequeña decorada con escenas muy similares a las que habían visto antes, aunque aquí parecían pintadas con más cuidado, como si el artista se hubiese tomado todo el tiempo del mundo para representar cada detalle.

A la luz de las lámparas de aceite, Víctor captó la mirada preocupada que le dirigió Yasmine. Quizá estaba pensando lo mismo que él. El dios no parecía tener ninguna intención de manifestarse... El único signo de vida que se podía percibir en aquel lugar era el sonido de sus propias pisadas.

Al llegar ante una puerta negra cubierta de jeroglíficos de arriba abajo, Yasmine se detuvo. No se podía seguir.

«¿Ahora qué?», se preguntó Víctor. Estuvo a punto de pronunciar aquellas palabras en voz alta, pero afortunadamente recordó a tiempo las instrucciones de Woser.

El jefe de los Secretos de la Casa de la Vida empujó con suavidad la puerta, que parecía de piedra. Esta giró sin un solo chirrido, permitiéndoles acceder al espacio brillantemente iluminado que había detrás.

Se trataba de una habitación pequeña, con vistosos relieves en las paredes y el techo. Al fondo, en el centro, se erguía una imponente estatua del dios Tot. Era al menos el doble de grande que una persona real.

«Ahora», se dijo Víctor. «Ahora es cuando el dios va a cobrar vida y nos va a llevar a casa».

Pero la estatua no se movió. Parecía observarlos con sus ojos de ave desde la altura, ajena a sus problemas.

Entonces, Víctor lo vio. Recordaba perfectamente aquel objeto redondo y dorado con el mango de marfil. El dios lo sostenía en su mano como si fuese un disco de luz.

—¡El espejo! —dijo en voz alta, sin darse cuenta de que estaba rompiendo las normas que les habían impuesto para entrar—. ¡Yasmine, es el mismo espejo que nos trajo aquí!

En respuesta a su exclamación, un violento trueno retumbó en los muros del templo. Por un instante, Víctor tuvo la sensación de que los ojos del dios se movían.

Woser retrocedió, asustado.

—¡Vámonos! —gritó—. ¡Hemos roto las reglas!

Yasmine y Víctor se miraron. Los dos sabían que no podían irse. Quizá no se les presentase otra oportunidad para llegar hasta aquel espejo. Y ambos estaban convencidos de que lo necesitaban si querían regresar a casa.

Se oyeron voces y pasos que se acercaban. Los sacerdotes acudían a buscarlos. Seguramente no estarían muy contentos con su conducta, y tardarían muy poco en echarlos del templo.

No tenían tiempo que perder.

Como si se hubiesen puesto de acuerdo, los dos alargaron la mano para tocar al espejo. En el momento en que sus dedos rozaron la superficie, esta se volvió líquida.

Al otro lado vieron el cielo nocturno y unas palmeras. También la silueta de unas ruinas oscuras junto al río bañado por la luna.

Víctor cerró los ojos y dejó que aquella fuerza que ya había experimentado una vez lo arrastrase al interior del espejo. No sentía miedo. Sabía que, pese a la reacción de los sacerdotes, el dios Tot no estaba enfadado con ellos.

Habían cumplido la misión que él les había encomendado... y ahora, como recompensa, los estaba devolviendo al mundo al que pertenecían.

Capítulo 12

Habían pasado cinco días desde su regreso del otro lado del tiempo, y Víctor aún se sentía raro.

Cuanto más se esforzaba por entender lo que le había ocurrido, menos lo entendía. Si no hubiese estado acompañado por Yasmine durante toda la aventura, habría llegado a creer que se trataba de un sueño. Pero no había sido un sueño, porque Yasmine recordaba exactamente las mismas cosas que él: la cena en el tejado de la casa de Ankhaf, la silueta de un dios con cabeza de hocico alargado que los había guiado hasta el templo de Set, el miedo que habían pasado allí... Y después, la llegada de Woser, la recepción de la reina Nitocris delante de la pirámide... ¡Todos los detalles permanecían vívidos y claros en su memoria!

La insistencia de sus padres en que les contara lo que le había sucedido no le facilitaba mucho las cosas. ¿Qué les podía decir? Según el relato que ellos hacían, Víctor y Yasmine habían permanecido fuera del hotel una noche completa. La madre de Yasmine estaba furiosa con él; lo culpaba de haber arrastrado a su hija a una aventura absurda, cuando en realidad había sido más bien al contrario.

Yasmine y él se habían puesto de acuerdo para no mencionar las sombras de los dioses. Si contaban aquello a los adultos, probablemente los tomarían por locos. Por eso, decidieron explicarles una parte de la verdad sin revelar el resto: habían ido a explorar en la zona de los yacimientos; se habían perdido; y al perderse, encontraron los restos de lo que podría ser una pirámide desconocida hasta entonces y mayor aún que la otra recientemente descubierta. Para confirmar su relato, habían conducido a los padres de Víctor hasta lo que podría convertirse muy pronto en el nuevo yacimiento de la pirámide de Nitocris. Allí era donde habían aparecido al atravesar la barrera del espejo desde el otro lado del tiempo.

Todo había salido bien. Y sin embargo, ni Yasmine ni Víctor se sentían contentos. No habían tenido oportunidad de despedirse de Ahmes ni de Herit. Y habían dejado a Woser en una situación muy comprometida ante los sacerdotes de Tot... mientras ellos huían a su época.

Además, ¡había tantas cosas sobre el Antiguo Egipto que les habría gustado preguntar, y que cuando estaban allí ni siquiera habían pensado! Víctor se arrepentía de no haberle rogado a la reina que le mostrase su ejército y las armas que utilizaban. Y Yasmine habría querido conocer a los artistas que habían pintado las paredes del templo de Tot. De mayor, ella quería dedicarse a la pintura, y la viveza de aquellas escenas le había dejado impresionadísima.

Esa tarde, cuando Víctor y Yasmine se encontraron en el jardín de palmeras después de comer, la chica hizo un anuncio inesperado:

—Vamos a volver a verlos, estoy segura —dijo.

—¿A quiénes? —preguntó Víctor, sin comprender.

—Pues a Ahmes, a Herit... a todos. Algo va a ocurrir esta noche.

—¿Cómo estás tan segura?

—Me he encontrado una pluma de ibis en la ventana al abrirla. Es una señal del dios Tot. Va a venir otra vez a buscarnos.

—Yasmine, no estoy seguro de querer seguirte esta vez —confesó Víctor sonrojándose un poco—. Ha sido una aventura increíble, pero en algunos momentos hemos estado al borde del desastre... y a mí lo del peligro no me va mucho.

—Tonterías; no te creo. ¡Si te has comportado como un verdadero héroe! Igual que yo. Además, lo único que te digo es que estés atento, por si acaso Tot vuelve a buscarnos.

—No volverá —aseguró Víctor muy convencido—. Nuestra misión allí ha terminado. No hay ninguna razón para que vuelva.

Creía de verdad que Yasmine se estaba imaginando cosas y que el dios no aparecería. Eso lo tranquilizaba. Pero al mismo tiempo, no podía dejar de pensar en lo bonito que sería reencontrarse con sus amigos del Antiguo Egipto. Volver allí, pasar un rato con ellos...

Y si el espejo mágico seguía en el lugar donde lo habían dejado, ¿por qué no utilizarlo más veces? A Víctor le gustaba la arqueología, y en más de una ocasión se había planteado seguir el camino de sus padres. Si se hacía egiptólogo, ¿no supondría una ventaja increíble poder viajar en carne y hueso a las épocas que debía investigar? Gracias al espejo, podría regresar a la época de Nitocris siempre que quisiese, y descubriría cientos de historias, documentos y objetos de aquella época que luego podría estudiar. ¡Sería fascinante!

Poco a poco, a medida que se aproximaba el atardecer, Víctor se fue convenciendo de que tal vez Yasmine no estuviera tan equivocada. La sombra de Tot ya se había presentado una vez. ¿Por qué no podía volver?

Cuando oyó que un guijarro golpeaba su ventana cerca de la medianoche, ni siquiera se sorprendió. Casi lo estaba esperando.

La ventana se encontraba en el piso bajo, de manera que le resultó muy fácil salir por ella. Yasmine, como suponía, lo estaba esperando tranquilamente fuera.

—Te lo dije —susurró—. Ha venido. Está al otro lado de las tapias, esperándonos.

Víctor asintió en silencio y siguió a su amiga hasta el lugar donde aguardaba la figura con cabeza de Ibis.

Esta vez, a pesar de la oscuridad, Víctor pudo distinguir mejor que nunca sus ojos redondos como alfileres y su largo pico curvo.

Como en las otras ocasiones, la sombra comenzó a deslizarse sobre la arena sin rozar el suelo. Ellos la siguieron. Víctor se dio cuenta entonces de que todos los temores que había expresado antes en su conversación con Yasmine se habían evaporado. Por alguna razón que no comprendía, se sentía totalmente seguro siguiendo a aquella sombra con cabeza de pájaro. Ya había comprobado en dos ocasiones que podía fiarse de ella... y no temía que en esta ocasión les fallase.

El camino que tomaron no era el mismo de la última vez. Y sin embargo, al final fueron a parar a una galería idéntica. La misma, quizá... o quizá otra exactamente igual pero situada en un lugar distinto.

Yasmine llevaba su pequeña linterna, y la encendió al penetrar en el túnel. Era tan estrecho como el primero, y sin embargo esta vez Víctor no experimentó la misma sensación de asfixia. Sabía que el túnel terminaría pronto y que desembocaría en una cámara donde los esperaba, una vez más, el espejo.

—¡Vamos a volver con ellos! —exclamó Yasmine, muy excitada—. Es increíble, ¿no te parece? A lo mejor podríamos invitarlos a ellos también a venir a nuestra época. ¡Seguro que fliparían!

—No sé lo que pensará el dios Tot sobre eso... eh, mira. Hemos llegado. Y el espejo está ahí.

Aunque no habían visto entrar al dios, su sombra se reflejaba en el muro gris que había detrás del espejo. Al igual que la vez anterior, toda la cámara brillaba con los reflejos que emanaban de su disco dorado.

Yasmine se arrodilló y lo sostuvo con cuidado. Miró a Víctor, indecisa. Luego alargó una mano e intentó introducirla en la superficie del espejo.

Solo que, esta vez, la superficie continuó siendo sólida y sus dedos no pudieron atravesarla.

Lo que ocurrió, en cambio, fue que en el mismo momento en que tocó el metal dorado del espejo, este empezó a crecer. Al mismo tiempo, Yasmine vio cómo se iban definiendo en su interior algunas figuras que conocía bien.

—¡Ahmes! ¡Herit! ¿Podéis oírnos? —gritó.

En el disco de metal, las imágenes de los dos jóvenes egipcios contestaron que sí con la voz y los gestos.

—¡Está terminada! —dijo Ahmes. Su voz llegaba débil y distorsionada por la distancia—. ¡Mirad, han terminado de pintar la pirámide! Ahora es completamente roja... ¡Todo gracias a vosotros! ¿La veis?

Sí, Víctor y Yasmine la veían; y era espléndida. Tan enorme y majestuosa, recortándose contra el cielo, parecía una nave gigante alienígena pintada del color de la sangre.

—La vemos —dijo Yasmine—. Pero no podemos pasar al otro lado. El espejo no nos deja.

—¿Y vosotros, cómo sabíais que íbamos a aparecer aquí? —preguntó Víctor—. ¿Os lo dijo el dios Tot?

—Nosotros se lo pedimos —contestó Herit—. Después de todo lo que ayudasteis a Ankhaf y de los peligros que corristeis, nos daba mucha pena que no vieseis el resultado final de su trabajo. Ahora, al menos, lo habéis visto.

—Sí; y os lo agradeceremos siempre —dijo Yasmine—. Herit, ha sido maravilloso conocerte. Lo mismo que conocerte a ti, Ahmes. ¡Ojalá podamos seguir manteniendo mucho tiempo esta amistad!

—La mantendremos en nuestros corazones —dijo Ahmes con tristeza—. Nuestra visión se empaña, Yasmine. Os vemos borrosos y distantes... Adiós, Víctor. Adiós Yasmine.

—¡Que los dioses os protejan! —añadió Herit.

Un instante después, sus rostros y todo lo que los rodeaba había desaparecido del espejo. Y además, ocurría algo extraño en su marco... ¿Por qué se había calentado tanto? De repente ardía.

Sin poder evitarlo, Yasmine lo soltó y lo dejó caer al suelo.

En el momento en que el espejo chocó contra las baldosas de piedra, empezó a arder. Víctor y Yasmine retrocedieron, asustados.

Detrás de las llamas, la figura del dios Tot dejó por un momento de ser una sombra. Pudieron distinguir con toda claridad el plumaje blanco de su rostro, su pico curvo y azulado, y debajo el torso de hombre joven adornado con pesados collares de oro.

Víctor se quedó contemplándolo un buen rato, fascinado. No podía apartar los ojos de él. Y es que, mientras lo miraba, le parecía estar oyendo una voz en su interior. Una voz que venía de tiempos remotos, de las profundidades del Antiguo Egipto.

Siguió mirando con una gran sonrisa al dios de la escritura mientras, a sus pies, las llamas fundían el metal dorado del espejo y lo consumían por completo.

Después, todo se quedó a oscuras. Las llamas se extinguieron, y en el mismo instante la figura del dios desapareció.

Yasmine tardó unos segundos en encender su linterna. Sin decir una sola palabra, dio media vuelta y comenzó a caminar sin prisa hacia la salida del pasadizo. Víctor la siguió con la misma tranquilidad.

En el exterior, la brisa húmeda del río casi les pareció fresca. Se oía cantar a las cigarras en algún lugar cercano, y de vez en cuando, un chapoteo en las aguas del Nilo, quizá de algún pez.

Yasmine fue la primera en hablar:

—¿Tú también lo oíste? —preguntó, mirando a Víctor.

El chico asintió.

—Dentro de mi cabeza. Era la voz más poderosa que he oído nunca, pero al mismo tiempo... delicada, suave. Dijo que los puentes entre su tiempo y el nuestro debían romperse, para no poner en peligro ninguno de los dos mundos.

—Sí. Y dijo que siempre seríamos recordados en la tierra del Nilo, y que su protección se quedaría con nosotros aunque jamás volvamos a verlo.

—O sea, que nunca volverá.

Víctor pronunció aquellas últimas palabras con tristeza.

El puente que el espejo les había brindado para pasar a aquella época remota del pasado había desaparecido para siempre. Tendría que renunciar a aquel sueño de viajar una y otra vez al Antiguo Egipto hasta comprender a la perfección cómo era el mundo entonces. Si quería dedicarse a la arqueología, se vería obligado a investigar como uno más, sin trucos ni atajos.

Pero lo que nadie podría arrebatarle era la visión de Nitocris en su estrado, y de Ahmes, y del barco de Woser, y de la gran pirámide roja. Todo eso lo había vivido; había sucedido de verdad.

Y las palabras del dios Tot, tan misteriosas como su extraña figura, mitad hombre y mitad ibis, le acompañarían el resto de su vida.

Ana Alonso

El misterio
de la pirámide

ANAYA